Saenai heroine no sodate-kata. Girls Side 2
Presented by Fumiaki Maruto
Illustration : Kurehito Misaki
마루토 후미아키 = 지음
미사키 쿠레히토 = 일러스트
시원찮은 그녀(히로인)를 위한 육성방법 Girls Side 2
카스미가오카 우타하
Utaha Kasumigaoka
효도 미치루
Michiru Hyodo
하시마 이즈미
Izumi Hashima
???

"아~ 지금 그 이야기는 안 할 거야."
"그, 그것보다 메구미. 너 어느새 토모야를 『토모야 군』이라고……."
카토 메구미
Megumi Kato
사와무라 스펜서 에리리
Eriri Spencer Sawamura

Girls Side
걸즈 사이드

시원찮은 그녀(히로인)를 위한 육성방법

마루토 후미아키 지음
미사키 쿠레히토 일러스트
이승원 옮김

목차

\신생/ blessing software 멤버명단

프로듀서

기획, 서브 디렉터, 메인 히로인

기획, 디렉터, 시나리오

음악

원화, 그래픽 담당

Saenai heroine no sodate-kata. Girls Side 2

프롤로그는 8권 에필로그를 읽은 후에 읽어 주십시오

"이야~. 그건 그렇고 정말 엄청난 발표회였어."

전철 안에서도 확연하게 들리지만, 다른 사람들에게 폐가 되지 않을 크기의 활기찬 목소리가 전철 안에서 울려 퍼졌다.

"그걸 보니 사와무라가 먼 곳까지 가버린 게 실감이 났어~. 그 애가 작년까지 우리와 같은 서클에서 함께 게임을 만들었다는 게 믿기지 않아."

5월 중순, 연휴 후 첫 일요일 밤.

평일보다 한산한 열차 안에서 홀로 말을 늘어놓고 있는 이는 고등학생 정도로 보이는 여자애였다.

여자치고는 키가 크고 날씬한 몸을 지녔으며, 기타 케이스를 어깨에 멘 쇼트커트 스타일의 그녀는 눈앞에 있는 두 지인에게 손짓 발짓을 섞어 가며 이런저런 이야기를 하고 있었다.

하지만…….

"그래."

"엄청났어요."

"으……."

눈앞에 있는 두 지인의 담백하다고 할까, 얼이 나갔다고 할까, 마음이 딴 곳에 간 듯한 리액션을 보자, 그녀의 활기찬 목소리가 점점 잦아들었다.

두 지인보다 키가 큰 그녀는 머리를 긁적이면서 난처하다는 듯이 천장을 올려다보더니, 뭔가를 생각하는 시늉을 했지만…….

"둘 다 왜 그러는 거야~! 가라앉은 표정 짓지 말고, 동료의 스텝 업을 축하해주자."

머리를 쓰는 것 자체가 서툴기에, 일단 머릿속에 떠오른 말을 그대로 입 밖으로 토했다.

이렇게 매사에 대충인 그녀는 솔직 담백한 체육 계열 아티스트.

걸즈 밴드의 보컬 겸 기타 담당이라는 리얼충 같은 직함을 자랑하지만, 동인 미소녀게임의 BGM 담당이라는 오타쿠스러운 역할도 겸임하고 있는 BGM의 천재.

현립 츠바키 여자고등학교 3학년, 걸즈 밴드 『icy tail』, 게임 제작 서클 『blessing software』 소속, 효도 미치루다.

"하지만 저는 단 한 순간도 사와무라 선배와 같은 서클에서 활동한 적이 없는데요."

"윽……."

이번에는 얼이 나간 듯한 두 사람 중 한 명이 미치루의 말에 반박했다.

"그리고 그 키 비주얼은 엄청났지만…… 아뇨, 엄청났기 때문에 생각 없는 바보처럼 그저 기뻐할 수가 없는 거예요."

"반론하는 건 좋지만, 꼭 그렇게 시비 거는 투로 말할 필요는 없지 않아? 하시마 양."

장신인 미치루에 비해 머리 하나 정도 차이가 날 만큼 키가 작지만, 특정 부위만큼은 미치루를 능가하는 볼륨을 자랑하며(혹시나 해서 말해 두겠는데 배가 아니다), 땋은 머리카락을 양쪽 어깨에 늘어뜨린 그녀는 조그마한 동물 같은 시선과 동작으로 삐친 듯한 반응을 보이고 있었다.

"사와무라 선배는 지금까지 우리 서클의 간판 일러스트레이터였잖아요. 그런 사람이 점점 유명해져서 인기 일러스트레이터가 된다면, 어떤 사태가 벌어질 것 같아요?"

"아~, 맞네. 밴드에게 있어서도 메이저는 파멸로 이어지는 입구야~. 돈과 명성을 얻으면서 남자와 약에 빠지게 되고, 이윽고 몸과 마음이 너덜너덜해져서 타인을 인터넷상에서 중상모략하게 된 다음부터는 그대로 낭떠러지 인생이지. 손목 긋고, 살던 집에서 쫓겨나, 물장사를 하다, 결국 마약과다 섭취로……."

"그런 건 아무래도 상관없어요! 제 말은 우리 서클에 미치는 영향이란 말이에요!"

"그래, 상관없구나. 남의 사정 같은 건 알 바 아니다 이거지……."

"그러니까, 인기를 얻은 예전 간판 일러스트레이터와 비교당할 사람은 바로 저라고요."

여러모로 성급한 언동으로 적을 만들지만, 사랑스러운 외모와 행동거지로 그 적조차 포로로 만드는 그녀는 노력형&재능형 일러스트레이터.

올해 토요가사키 학원에 입학한 1학년이자, 게임 제작 서클 『blessing software』 출신의 인기 일러스트레이터와 비교당하고 있는 불행한 새 간판 일러스트레이터, 하시마 이즈미.

"사람들이 「카시와기 에리가 관뒀으니 됐어」 하면서 『blessing software』의 게임에 관심을 주지 않는다면 어떻게 할 건데요……. 미치루 선배는 인기 일러스트레이터가 빠진 다음에 만든 작품의 매상이 바닥을 친 게임 회사의 말로를 몰라요?"

"그, 그게~, 그렇게 되지 않기 위해서 하시마 양이 와준 거잖아! 그러니까 너무 겁먹지 마."

사실 간판 일러스트레이터가 빠지더라도 사장이 수완가거나, 일러스트레이터를 바꿔서 히트작들의 속편을 연달아 내거나, 새로 들인 일러스트레이터가 전작 원화가를 베낀 듯한 그림체이거나 해서 위기를 탈피한 게임 회사도 많다. 하지만 오타쿠가 아니기에 그런 업계 사정을 모르는 미치루는 우물쭈물하면서 상대를 달래는 것 말곤 방법이 없었다.

어느 메이커나 머리를 쥐어짜며 최선을 다하고 있으니, 유저 여러분들은 따뜻한 눈길로 차분히 지켜봐줬으면 좋겠다는 게 솔직한 마음이다.

"그리고 하시마 양. 사와무라의 그림에 끌려 이 서클의 팬이 된 사람들이 전부 다 그녀를 따라가 버리는 건 아냐. 마이너 인디 밴드의 보컬이 혼자서 메이저 데뷔를 해도 「왠지 머나먼 곳에 가버린 것 같네~」 하고 느끼며, 보컬이 빠진 밴드를 계속 응원해주는 사람도……."

"왠지 그 인디 밴드 자체에 흥미를 잃어서 보컬과 밴드, 양쪽에 관심을 끊어버리는 사람이 더 많을 것 같은데요. 아닌가요?"

"아냐, 인터넷상에서 대대적으로 그런 소리를 하는 건 고참 팬들이야. 말 없는 다수파를 소중히 여기자, 하시마 양~."

사실 말 없는 다수파는 대부분 메이저 데뷔를 한 보컬을 따라간다는 통계적 수치를 미치루가 언급하지 않자, 결국 두 사람의 말다툼은 평행선을 이뤘다.

"메구미 선배도 말 좀 해보세요."

"카토도 뭐라고 말 좀 해봐~."

그리고 결국 서로를 이해할 수 없는, 사이가 좋은 듯하면서도 나쁜 두 사람은 마치 재판장에게 판결을 구하듯 다른 여자애에게 도움을 요청했다.

하지만…….

"……메구미 선배?"

"카토?"

"어? 왜? 아, 미안. 잘 안 들렸어."

"……."

"……."

그녀는 러브 코미디 라이트 노벨에 나오는 귀머거리 쓰레기 주인공처럼 얼빠진 리액션을 취하면서, 두 사람의 절실함이 어린 질문을 무시해버렸다. 그 탓에 유감스럽게도 사태는 일단락되지 않았다.

"아, 딴 생각 하느라 못 들었어. 으음, 확실히 엄청난 발표회였어."

"거기까지 거슬러 올라가나요……."

"카토, 아까부터 좀 이상해."

"……거듭 미안해."

기어드는 목소리로 두 사람에게 사과한 이는 카토, 신체 일부의 볼륨도 두 사람의 중간 정도일 만큼 표준적인…… 아니, 밸런스가 좋은 체형과, 딱히 눈에 띄지 않는…… 아니, 잘 어울리는 쇼트 보브 헤어스타일을 지닌 여자애였다.

언뜻 보기에 『어디에나 있을 법한 귀여운 여자애』라는, 모순되는 건지 아닌지 미묘한 표현이 매우 잘 어울리는 그녀는 매일같이 먹을 수 있는 반찬처럼(성적인 의미가 아님) 담백한 매력을 내포하고 있었다.

어떤 점에 있어서도 평균점 플러스 5~10 정도인 그녀의 이름은…… 아니, 지금은 그것보다 그녀가 멍하니 있었던 이유 쪽이 우선도가 높으니 나중에 말씀드리겠습니다. 양해 부탁드립니다.

그런 그녀의 시선은 전철이 정차한 역의 플랫폼을 향하고 있었다.

그리고 반대쪽 전철을 기다리고 있는 듯한 두 여성의 뒷모습을 쳐다보고 있었다.

그리고 그 둘 중 한 명, 키가 작은 편이라 인파에 파묻히고 있는데도 주위의 눈길을 끄는 금발 트윈 테일이 그녀의 눈과 의식을 사로잡고 있었다.

※ ※ ※

"다들 이벤트 봤을까? ……내가 그린 키 비주얼, 봤을까?"

"윤리 군은 서클 멤버들 다 같이 볼 거라고 했어."

"그렇구나……. 토모야도, 메구미도 기뻐해줬을까?"

"…………."

"……잠깐만, 그 『이 얼간이 금발 트윈 테일과는 못 어울리겠네』 하고 말하는 듯한 경멸 어린 시선과 태도는 뭐야?"

"사와무라 양, 현재 내 심경을 정확하게 파악하고 있으니 그 원인도 짐작해줬으면 좋겠어."

"뭐? 응? 잠깐만. 방금 그 말 안 들렸어."

역 플랫폼에서 사이좋게 서서 이야기를 나누고 있는 두 사람의 목소리가 반대편 플랫폼에 들어온 전철 소리에 가려졌다. 그 탓에 이 자리에는 귀머거리 쓰레기 주인공이 한 명 더 탄생했다.

"못 들었다면 됐어, 얼간이 금발 트윈 테일 양."

"하나도 안 됐거든? 난 방금 그 말에 눈곱만큼도 납득 못 한단 말이야!"

그건 그렇고, 역 플랫폼에서 사이 나쁘게(정정 완료) 서서 이야기를 나누고 있는 두 사람은 방금 도착한 전철에 자신들이 화제로 삼은 이들이 탔다는 사실을 전혀 눈치채지 못했다. 그리고 그들 또한 같은 화제로 이야기꽃을 피우고 있었다.

필즈 크로니클 20th Anniversary—.

그것은 대형 콘슈머 게임 메이커인 마르즈가 타이틀대로 20년 동안 길러 온 인기 RPG 시리즈, 『필즈 크로니클』의 기념 이벤트다.

그 행사장의 초대석 안에서도 뒤편에 앉아 있던 그녀들은 이벤트 말미에 대대적으로 발표된 신작 『필즈 크로니클 XIII』의 메인 스태프로 발탁된 신데렐라들이다.

"아무튼, 그렇게 화려하게 발표됐으니 이제 도망칠 곳은 없어."

첫 번째 신데렐라는 시나리오 담당이다.

약간 웨이브 진 검은색 장발과, 가슴 부근이 매우 자기주장을 하고 있는 체형, 또한 평소 언동으로 볼 때 신데렐라보다는 백설공주……에 나오는 마녀에 가까운 다크 계열 미녀.

본업은 라이트 노벨 작가이며, 데뷔작 『사랑에 빠진 메트로놈』, 두 번째 작품 『순정 헥토파스칼』을 연달아 히트시킨 인기 작가 카스미 우타코.

그리고 또 하나의 직업은 소오 대학 문학부에 갓 입학한 여대생.

그리고 그리고, 과거로 거슬러 올라가자면, 올해 3월까지 토요가사키 학원에 다니던 전직 여고생.

그리고 그리고 그리고, 게임 제작 서클 『blessing software』의 전 시나리오 담당 카스미가오카 우타하.

"도망칠 곳 따윈 이 일을 맡기로 결심한 순간 사라졌어."

두 번째 신데렐라는 캐릭터 디자인 겸 원화 담당.

트윈 테일 스타일로 묶은 아름다운 금발, 전체적으로 빈

약…… 조신한 체형, 또한 평소 언동으로 볼 때 신데렐라보다는 그녀의 언니에 가까운 소인배 타입 미소녀.

본업은 동인 작가이며, 유행 작품의 19금 동인지로 돈을 닥치는 대로 벌어들이는 인기 일러스트레이터, 서클 『egoistic-lily』 대표 카시와기 에리.

그리고 토요가사키 학원 3학년이자, 게임 제작 서클 『blessing software』의 전 원화 담당인 사와무라 스펜서 에리리.

"그렇게 생각한다면 윤리 군이나 카토 양과의 인간관계 같은 것에 얼이 빠져 있지 말고, 할 수 있는 일이나 최선을 다하는 게 어때?"

"얼빠진 적 없거든? 그리고 인간관계는 사회적으로 필요한 거거든? 너처럼 남들과 커뮤니케이션을 취하지 못하는 인격 파탄자와 똑같이 취급하지 마!"

"허울뿐인 인간관계를 구축했다가 바로 상대를 배신해버리는 인간관계 크러셔가 될 바에야, 외톨이인 편이 서로에게 행복하지 않을까?"

"크러시 한 적 없거든? 화해할 거거든? 메구미와 만나기로 약속도 했단 말이야!"

"그 약속이 이번 발표회 때문에 무기한 연기되는 미래밖에 안 보이는데, 용케도 자신만만하게 그런 소리를 하네. 이

이기심 덩어리 아가씨는 대체 얼마나 분위기 파악을 못하는 거야?"

"연기 같은 건 안 돼! 우린 쭉 절친으로 지내기로 약속했단 말이야!"

"아~ 예~, 그러신가요. 당신들 두 사람의 우정이 박살 났다는 걸 확신할 수 있지만, 이번에는 사와무라 양의 체면을 세워줄게."

"뭐가 내 체면을 세워준다는 거야! 아, 불쌍한 사람 쳐다보는 눈길로 나를 보지 마. 사랑스럽다는 듯이 내 머리를 쓰다듬지 마. 그, 그만해. 그런 짓 당하면…… 아, 아냐! 메구미라면 분명 이해해 줄 거란 말이야!"

※ ※ ※

"메구미 선배도 뭐라고 말 좀 해보세요."

"저기, 카토도 뭐라고 말 좀 해봐~."

바로 옆에서 들려온 목소리는 그녀의 귀에 닿지 않았다.

왜냐하면 현재 그녀의 마음을 가득 채우고 있는 것은 눈앞에 있는 두 사람의 대화가 아니라, 플랫폼 반대편에 있는 저 두 사람의, 들릴 리가 없는 대화였던 것이다.

그런 그녀는 이즈미와 에리리에게서 『메구미』라고, 미치루와 우타하에게서 『카토』라고 불린 여자애.

토요가사키 학원 3학년이자, 게임 제작 서클 『blessing software』의 메인 히로인 카토 메구미.

그리고 그런 어이없는 직함을 지녔지만, 실은 그 누구보다도 서클의 존속을 바라며 열심히 노력해 온 숨은 공로자.

"……메구미 선배?"

"카토?"

하지만 자신의 근처에서 말다툼을 하는 것처럼도, 시시덕거리고 있는 것처럼도 보이는 두 『전』 멤버를 쳐다보고 있는 그녀의 시선은…….

아니, 뭐, 「나라면 이해할 수 있는 거구나……. 아하하…… 아하하하하하!」 하며 처절한 미소를 짓고 있는 건 아니지만…….

그래도 어느 정도 안타까우면서, 그리고 어느 정도 골이 깊어 보이는 감정을 희미하게 드러내고 있었다.

제8.3화

에로인으로부터 사랑을 담아

5월 중순, 토요일.

땀이 희미하게 날 만큼 뜨거운 초여름 햇살이 쏟아지고 있는 이곳은 이 작품에서 자주 소개되었던 아키하바라…….

……에서 소부선 전철로 한 역 옆이자, 걸어서 10분 거리인 오차노미즈다.

악기 거리로 유명한 이 마을에 기타 케이스를 어깨에 멘 차림으로 완벽하게 녹아든 사람은『blessing software』유일(혹은 유이)의 아웃도어파, 효도 미치루다.

『blessing software』에서 유일(이쪽은 확실하게 유일)하게 밴드로 활동 중인 그녀는 현재 한 달에 한 번 하는 악기점 순례를 마친 후, 전부터 가지고 싶어 했던 기타…… 현을 들고 진보초 방면으로 이어지는 언덕을 서둘러 내려가고 있었다.

"아~, 배고파~."

지금은 정오를 약간 지났을 즈음이다.

미치루는 아침부터 아무것도 먹……지 않은 게 아니라, 아침밥을 리필까지 해 가면서 먹어 치웠다. 하지만 미치루의 위는 만전의 상태인데도 불구하고, 아니, 만전의 상태이기 때문에 다음 음식을 갈망하며 그녀에게 빨리 점심을 먹으라고 재촉하고 있었다.

"……어?"

바로 그때, 「나는 오늘 뭐가 먹고 싶은 거지?」 같은 생각에 사로잡혀 있던 미치루의 공복 레이더가 감지한 것은 맛있어 보이는 음식점……이 아니라, 자신과 반대 방향에서 이 언덕을 올라오고 있는 검은 사람 그림자였다.

"카스미가오카 선배?"

아, 참고로 『검은 사람 그림자』에서 『검은』은 『사람 그림자』를 가리키는 말이지, 『사람』을 가리키는 말이 아니라는 것을 이 자리를 빌려 밝혀 둘 테니 오해하지 말기를 바란다.

"……."

"응? 저기, 선배."

그리고 그 검은 사람…… 아니, 검은 머리카락을 지닌 사람은 겨우 5미터 앞에서 자신을 부르는 커다란 목소리에 반응하지 않고 아무렇지도 않게 거리를 계속 좁혔다.

하지만 흑발 롱 헤어인 그 사람…… 카스미가오카 우타하를 아는 사람이라면, 그녀가 평소와 다름없는 태도를 취하고 있다는 사실을 알 것이다. 뭐, 무례한 짓이라는 사실에는 변함이 없지만 말이다.

"걸을 때만이라도 책 좀 보지 마, 선배~."

"……어머, 효도 양. 이런 데서 다 보네."

걸음을 멈춘 우타하가 책에서 눈을 떼며 미치루를 쳐다본 것은 두 사람이 스쳐 지나가고 5미터 정도 더 떨어졌을 즈음이었다.

우타하는 용모와 체형 때문에 평소처럼 주위의 주목을 모으고 있지만, 평소와 마찬가지로 다가오지 마 오라를 뿜어서 자신만의 공간을 확보하며 동네를 걷고 있었다. 그런 그녀는 우연히 만난 지인, 그것도 타인과 자신 사이의 거리를 아무렇지 않게 무시하는 미치루와 마주치자 한숨을 내쉬었다.

"뭐 사러 온 거야? 흐음~, 선배도 이런 곳에 오는구나."

……그리고 낯가죽 두꺼운 걸로는 자타 공인인 미치루는 그런 우타하의 태도에 겁을 먹을 정도의 얼간이나 소시민이 아니었다. 미치루는 성큼성큼 우타하의 곁으로 다가가더니, 그녀가 든 커다란 가방 안을 들여다보았다.

"독서에 관심이 없는 효도 양은 알 리가 없겠지만, 이곳에는 악기점뿐만 아니라 고서점도 많아. 그래서 나도 한 달에 한 번 정도는 괜찮은 책이 없는지 보러 와. 뭐, 독서에 관심이 없는 효도 양이 알 리가 없겠지만 말이야."

"……명색이 작가라는 사람이 같은 말을 반복하는 건 좀 그렇지 않아?"

필요 이상으로 남과 거리를 두려 하는 우타하와, 필요 이상으로 남에게 다가가려 하는 미치루가 단둘이 마주쳤을 때 어떤 화학 반응이 일어나는지는…… 사실 지금까지 그런 상황이 벌어진 적이 없기에 아무도 알지 못했다.

『절대 평온한 분위기는 아닐 것이다』라는, 현재 상황을 정확하게 예견한 듯한 주위의 견해는 일단 제쳐 두기로 하고…….

"일단 겉치레에 불과한 인사는 나눴으니 이제 그만 가도 될까? 빨리 집에 돌아가서 이 책들을 탐닉하고 싶거든."

"아, 그런데 선배, 배고프지 않아?"

"아니, 전혀, 눈곱만큼도 고프지 않아."

"지금부터 밥 먹으러 갈 건데, 같이 안 갈래? 식사는 다른 사람과 같이 해야 맛있잖아."

"……상대방을 내버려 두지 않는 데다, 상대방의 말에 눈곱만큼도 귀를 기울이지 않는 사람과 같이 식사해 봤자 불쾌하기만 할 것 같은데."

"아, 맞아. 역 쪽에 맛있는 돼지고기 덮밥집이 있어. 양 많고, 기름진 데다, 연기도 자욱해서 완전 최고라니깐. 전에 토모가 데리고 가줬어~."

"…………다중적인 의미에서 사양하겠어."

그리고 그런 짜증 나는 화학 반응은 한동안 계속될 것 같았다.

※ ※ ※

“오~, 도착~. 치킨 카레~ 라이스와 카레 루 곱빼기, 매운맛 5단계~♪”

“……당신은 어느 가게에서나 남자다움이 철철 넘치는 주문을 하네.”

결국 두 사람은 마주친 장소 근처에 있던 카레 가게의 2층으로 이동했다.

그리고 얼마 안 있어 주문한 요리가 나오자 미치루는 기다렸다는 듯이 스푼을 들었고, 우타하 또한 스푼과…… 책을 들었다.

“……「잘 먹겠습니다」 하고 말하자마자 책을 드는 건 좀 그렇지 않아?”

“진보초에 대해 잘 모르는 효도 양은 알 리가 없겠지만, 이 근처에 카레 가게가 많은 건 식사를 하면서 독서도 할 수 있다는 고서점 거리만의 문화가 뿌리 깊이 박혀 있기 때문이야. 뭐, 진보초에 대해 잘 모르는 효도 양은 알 리가 없겠지만 말이야.”

“그건 그렇고, 아무리 상대가 남친(토모)이 아니라지만 이런 대접은 좀 너무하지 않아?"

"나는 남자(윤리 군)와 같이 있을 때도 항상 책을 읽어."

"그, 그렇구나……."

미치루의 여러 가지 의미가 담겨 있을지도 모르고, 담겨 있지 않을지도 모르는 시선을 받아넘긴 우타하는 아무 말 없이 스푼으로 카레를 먹으면서 페이지를 넘겼다.

그 모습을 본 미치루도 눈앞에 있는 음식을 스푼으로 먹기 시작하더니…….

"잘 먹었습니다~."

"효도 양은 너무 빨리 먹어."

……5분 만에 깨끗하게 비워버렸다.

"이야~, 여기 카레는 맵고, 뜨겁고, 맛있거든~."

"아무리 그래도 그렇게 허겁지겁 먹으면 체하지 않을까?"

"그것보다는 텔레비전이나 책을 읽으면서 먹으면 더 체할 것 같은데?"

"그건 그렇고, 아무리 상대가 남친(윤리 군)이 아니라지만 조신함과는 거리가 너무 멀어 보이는걸."

"뭐, 남자(토모)와 같이 왔다면 이야기를 하거나, 반찬 다툼을 하면서 느긋하면서도 즐겁게 먹었을 거야~."

"……윽."

우타하는 평소의 식은 죽 먹기 같은 말다툼 상대(에리리와의)와는 전혀 다른 반응을 보이는 장신의 쇼트커트 미녀를 노려보았다. 그리고 아쉬운 듯이 읽던 책을 가방에 넣은 후, 샐러드를 깔짝깔짝 먹기 시작했다.

"카레가 식기 전에 먹는 편이 좋지 않아?"

"당신이 밥 먹는 모습을 봤더니 왠지 식욕이 사라졌어."

"안 먹을 거면 내가 먹어도 돼? 나는 약간 부족한 느낌이거든~."

"마음대로 해."

"헤헤~, 그럼 사양 안 할게~."

희희낙락하면서 자신의 접시를 향해 스푼을 내미는 미치루를 어이없다는 듯이 쳐다보던 우타하는, 이번에야말로 눈앞에 있는 상대와 제대로 커뮤니케이션을 취하려 했다.

"당신, 이렇게 먹어 대는데 왜 살이 안 찌는 거야?"

"선배야말로 이렇게 조금만 먹으면서 왜 거기는 남들 곱빼기인 건데……?"

미치루는 스푼으로 우타하의 가슴을 가리켰다.

그리고 우타하는 이런 이야기를 더 해 봤자 손해라고 판단했는지 언짢은 듯이 입에 컵을 대더니, 물과 함께 입에 머금은 얼음을 혀로 굴리며 말했다.

"……그런데 다른 서클 멤버들은 잘 지내?"

우타하가 다음으로 입을 연 것은 미치루가 자신의 접시에 담긴 카레를 절반 정도로 줄였을 즈음이었다.

……뭐, 그러는 데 걸린 시간은 겨우 3분밖에 안 됐지만 말이다.

"물론이지~! 신작 플롯도 완성됐고, 새로운(하시마 오빠 쪽) 멤버도 들어온 데다, 카토는 더 음흉해졌어. 다들 완전 불타오르고 있지~."

"그, 그래? 그거 다행……."

"……라고 말하면 진짜로 믿을 거야?"

"……윽."

미치루의 말투와 태도가 순식간에 차가워진 순간, 우타하는 그녀에게서 한기를 느끼고 무심코 입 안의 얼음을 씹어서 깼다.

당연히 우타하도 그와 그녀들이 『그 그림』을 보고 순수하게 감동하거나 에리리를 응원해줄 거라고는 생각하지 않았다.

에리리가 그린, 천재적이고, 예술적이며…….

또한 『blessing software』에 소속되어 있던 시절에는 해내지 못했던 그 강렬한 성과를 두 눈으로 보고, 자신들의 능력 부족을…… 자신들이 에리리와 어깨를 나란히 했던 것이 얼마나 주제넘은 짓이었는지 깨달았을 거라는 게 쉬이 상상이 되었다.

"나도 선배에게 하나 물어볼게 있는데, 사와무라는 잘 지내?"

"그건 그녀와 같은 반인 윤리 군에게 물으면 되잖아? 왜 나를 사와무라 양의 보호자 취급 하는 거야?"

"그야 실제로 그렇잖아."

"……."

우타하는 방금 씹어 먹은 얼음의 냉기를 느끼면서 약간 의외라는 표정으로 눈앞에 있는 체육 계열 밴드 소녀의 표정을 쳐다보았다.

그녀의 얼굴에 떠올라 있는 것은 그녀답지 않은, 불만과 걱정이 뒤섞인 미묘한 표정이었다.

"그리고 선배라면 알지? 사와무라가 우리 멤버에게 무슨 짓을 했는지 말이야."

……즉, 남을 배려하는 자상한 여성 같은 표정을 짓고 있었다.

"뜻밖이야."

"뭐가?"

"효도 양은 남의 기분이나 분위기 같은 걸 전혀 읽지 못하는 타입인 줄 알았어."

"아~. 뭐, 선배 말이 맞긴 해. 나는 남이 하는 생각에 관심이 없고, 둔한 편이기도 하거든."

"그럼 왜……."

"하지만 토모는 남이 아니라 가족이잖아."

"……그런 말을 남 앞에서 주저 없이 할 수 있는 걸 보면, 확실히 분위기 파악은 못하는 것 같네."

그리고 그런 표정과 언동을 본 우타하 또한 미치루와 마찬가지로 미묘한 표정을 지었다.

"딱히 두 사람이 나간 게 불만인 건 아냐. 솔직히 말해 당신들 같은 인기인들이 토모의 서클 같은 거에 들어간 것 자체가 비상식적인 일이었잖아."

"딱히 그런 건……."

"하지만 때려치우고 나갔으면서 아직도 우리 서클에 간섭하는 건 좀 그렇지 않아~?"

그리고 그 미묘한 표정을 한층 더 찡그렸다.

"당신한테 그런 소리를 들을 이유는……."

"있어. 당연하잖아?"

"윽……."

그 순간, 두 사람 사이에 있는 테이블이 덜컹거렸다.

"토모는 내 졸개거든? 매년 본가에 놀러 왔을 때마다 내가 근처 개구쟁이들한테서 지켜줬단 말이야."

"……윽."

그리고 간헐적으로 계속 덜컹거렸다.

우타하가 강렬하게 다리를 떨고 있었기 때문이다.

"그러니까 선배. 설령 선배라도 그 녀석을 괴롭히면 절대 용서하지 않을 거야."

미치루의 부끄러움이나 주저가 전혀 섞이지 않은 오만불

손한 말을 듣고, 우타하는 완전히 뚜껑이 열렸다.

가족, 그리고 사촌이라는 은신처를 최대한 활용한 미치루의 정당화가 어디 사는 가짜 소꿉친구의 헛소리와는 비교도 안 될 만큼 용납할 수가 없었던 것이다.

"…………윤리 군은 내 후배이기도 해."

"후배? 졸개에 비하면 꽤나 서먹서먹한 관계네~."

"졸개는 후배에 비하면 지배적이고 권력을 이용한 학대적인 느낌이잖아. 애정이 느껴지지 않는걸."

그리고 우타하는 「게다가 후배 뒤에 실수로 위 자 하나만 붙이면 엄청난 표현이 되잖아」 같은 말도 생각이 났지만, 그랬다간 이야기가 딴 데로 샐 것 같아서 입에 담지 않았다.

"하지만 상하 관계가 확실하면, 토모가 세져서 관계가 역전되었을 때 더 뜨겁게 타오르지 않을까? 전에 이야기했었지? 내가 옛날에 산에서 미아가 됐을 때……."

"효, 효도 양? 당신 그런 취향이었어? 지금까지 자기 말만 따르던 윤리 군이 갑자기 뚜껑이 열린 것처럼 자신을 덮치더니 『자, 여기서 고함을 질러 봤자 아무도 도와주러 오지 않아. 지금부터 내가 네 몸에 새겨주지……. 평생 사라지지 않을 상처를 말이야!』 같은 소리를 하며 강제로…… 아아, 안 돼, 하지만, 하지만……."

"……선배는 대학생이 되더니 예전보다 더 변태가 된것 같아."

"역시 당신 같은 사람과 같이 밥을 먹는 게 아니었어…….
정말, 정말 마음에 안 드네."

미치루를 향한 분노 때문에 갑자기 식욕이 부활한 우타하는, 그녀에게 줬던 카레 접시를 빼앗더니 남아 있던 절반의 카레를 단숨에 먹어 치웠다.

"뭐, 내가 같이 밥 먹자고 해 놓고 싸움을 걸어서 미안하긴 한데…… 그래도 우리 서클의 상황을 좀 고려해줘."

"그건 우리…… 아니, 사와무라 양이 잘못한 거니까 이해는 해."

"그럼 왜……."

"내가 마음에 안 드는 건 윤리 군과의 과거를 이용해 우위에 서려고 하는 당신의 그 태도야."

"하지만~ 선배는 사와무라를 상대하느라 그런 거에 익숙하지 않아?"

"사와무라 양은 괜찮아. 상대방의 도발에 쉽게 넘어갔다 멋대로 자폭하기 때문에 전혀 신경 쓰이지 않거든."

"……아~, 그거야, 뭐……."

그리고 덧붙여 한마디 하자면 에리리는 한번 멀어지고 말았던 『소꿉친구』와의 관계에 여전히 콤플렉스를 가지고 있었다.

신념이 없는 유대는 빈틈투성이고, 약해 빠졌으며, 무너지기도 쉬울 뿐만 아니라…….

속이 배배 꼬인 연애 작가, 카스미 우타코가 매우 좋아하는 것이다.

“하지만 당신은 도발을 해도 전혀 동요하지 않고, 무슨 소리를 듣든 마이동풍이야.”

“어쩔 수 없잖아~. 나랑 토모는 가족인걸.”

“당신의 그런 점이 마음에 안 든다는 거야. ……이래서 친척은 골치 아프다니까. 결혼 가능하다고 기어오르지 말란 말이야!”

“지나치게 매니악한 이유로 화내니까 따라가지를 못하겠어, 선배…….”

하지만 미치루처럼 혈연에 대해 아무런 콤플렉스도 없을 뿐만 아니라, 그 이점을 눈곱만큼도 의심하지 않는, 마치 시나리오에 얽매이지 않는 에○ 게임 히로인 같은 사고방식의 소유자는 카스미 우타코 월드의 풍기를 어지럽힌다.

“하아. 당신을 윤리 군의 곁에 두는 건 너무 위험해. 역시 그때 확 덮쳐버렸어야 했어…….”

참고로 우타하는 『그때』라고 할 만한 순간이 너무 많아서 딱 하나만 고를 수가 없었다. 그렇게 많은 찬스를 날려버린 우타하 또한, 에리리와 마찬가지로 속이 배배 꼬인 겁쟁이만 잔뜩 있는 카스미 우타코 히로인의 사고방식을 갖고 있었다.

“에이, 선배는 생각이 지나쳐. 뭐, 확실히 토모는 내 것이지만…….”

"그렇게 딱 잘라 말하는 점이 마음에 안 든다고 몇 번을 말해야……."

"하지만 아까도 말했다시피 토모는 가족이야. 선배나 사와무라처럼 골 때리는 방향인 건……."

"물러, 무르단 말이야, 효도 양……."

"……뭐?"

어느새 테이블은 다른 손님들도 눈치챌 만큼 격렬하게 흔들리고 있었다.

"매년 여름 방학에 본가에서 함께 지내는 사촌 사이인 남자애와 여자애. 함께 산을 뛰어다니고, 우물물로 차갑게 만든 수박을 먹으며, 둘이서 툇마루에서 낮잠을 자는 게 연례행사였어……."

"……선배?"

"그리고 그 해의 여름도 그런 일상에는 변함이 없었어……. 그저, 여자애가 어느새 아름다워진 것과, 남자애가 어느새 사춘기를 맞이했다는 것만 빼면 말이야……."

그리고 그 원인인 다리 떠는 미녀께서는 길고 윤기 넘치는 흑발을 뱀처럼 꿈틀거리며(어디까지나 이미지입니다), 입술 가장자리를 말아 올리더니, 지옥 밑바닥에 있는 악령을 한창 불러내고 있었다(그러니까 이미지입니다).

"남자애가 눈을 떠보니, 격렬한 매미 소리만이 집 안에 울려 퍼지고 있었어……. 아무래도 다른 가족들은 잠이 든 두 사람을 두고 장을 보러 간 것 같아."

"으음, 그거 혹시……."

"남자애는 문뜩 옆에서 자고 있던 여자애를 돌아봤어……. 그 순간, 그의 코앞에서 눈을 치켜뜬 채, 자신을 응시하고 있는 여자애의 얼굴이 눈에 들어온 거야."

"……(꿀꺽)."

"매미 소리 사이로, 소녀의 속삭임이 소년의 귀에 흘러 들어와……. 『저기, 토모…… 너…… 해본 적, 있어?』."

"흐윽……."

그 순간, 미치루의 목에서 피리 소리 같은 것이 흘러나왔다.

미치루는 그 가공의 소녀처럼 볼을 붉혔고, 거친 숨을 내쉬고 있었으며, 어느새 메말라버린 입술을 무의식적으로 핥고 있었다.

"사실 그녀는 키스만 할 생각이었어……. 하지만 여자애의 그런 미묘한 분위기를, 그녀의 입술 맛을 알고 만 그가 읽을 수 있을 리가 없었고……."

"어, 자, 잠깐만…… 그건, 으음……."

"그녀의 입술을 탐닉하고 있는 그의 손은 어느새 그녀가 입은 탱크톱 안으로 들어갔으며, 그 언덕 꼭대기에 존재하는 돌기를 결국 손가락 끝으로……."

"아아아아아~. 자, 잠깐만! 그거, 엄청 리얼하게 상상이 되니까 그만해~!"

작가, 카스미 우타코…….

그녀의 활동 거점은 라이트 노벨 레이블인 후시카와 판타스틱 문고이며, 현시점에서는 다른 장르에선 전혀 활동하고 있지 않다는 사실을 이 자리를 빌려 밝혀 두겠다.

※ ※ ※

"하아, 하아, 하아……. 가, 가슴이 뛰어서 죽을 것 같아~."

"아무래도 효도 양에게는 지나치게 자극적이었나 보네……. 코믹LO에 나올 것 같은 시추에이션을 상상해봤을 뿐인데 말이야."

"정말, 영문 모를 소리 좀 하지 마……. 저기, 죄송한데 물 좀 주세요~."

미치루가 예상보다 훨씬 순진무구한 반응을 보이자, 우타하는 암흑 크리에이터 모드의 발동을 멈추면서 상대방의 표정을 관찰하듯 살폈다.

그녀의 얼굴에는 카레 때문만은 아닌 듯한 땀방울이 맺혀 있었고, 눈동자는 촉촉이 젖었으며, 볼은 홍조를 띠고 있었다. 그런 그녀에게서는 매사에 대충인 체육 계열 소녀다운 면모는 찾아볼 수가 없었다.

"효도 양, 당신 혹시……."

"왜, 왜 그래?"

"윤리 군을 진짜로 남자로 의식하고 있는 거야?"

"그러니까 아까부터 가족으로 생각한다고 몇 번이나 말했잖아……."

아니, 어쩌면 이 순수한 반응이야말로 체육 계열 소녀 본연(모에 포인트)의 모습일지도 모른다.

"아니, 그렇지 않아. 지금까지 몸 곳곳을 그렇게 밀착시켰으면서 아무것도 느끼지 못했다니, 믿을 수가 없어."

"선배도 꽤 밀착했던 것 같은데?"

"나는 맨살이 아니라 스타킹 너머로 밀착했으니까 세이프야."

"……아~. 으음, 그렇구나."

지금까지의 언동으로 볼 때, 아무래도 우타하의 암흑 크리에이터 모드가 원자로 정지 상태가 되려면 조금 시간이 걸릴 것 같았다.

"즉, 선배는 항상 각오를 하고 있었다는 거네……?"

"그렇게 깊이 생각하지 않고 도발하다가, 만약 윤리 군이 절륜리[#1] 군으로 변모하면 어떻게 할 거야?"

"응? 아, 그럼…… 뭐, 그때가 되면 생각해볼래."

"그렇게 나중으로 미루다 진짜로 그런 상황이 벌어졌을 때 「아, 그걸 준비하지 않았는데…… 뭐, 괜찮겠지」 하고 말하면서 ○으로 하는 걸 오케이 해버릴걸?"

아니, 진짜로 정지하기는 한 것인지 의심스러운 레벨까지

#1 절륜리 절륜과 윤리를 합친 언어유희.

멜트 다운된 것 같았다.

“하, 하지만 상대는 토모잖아? 그 녀석이…… 저, 절륜…… 할 리 없어.”

“만약에 진짜로 그런 상황에 처하면 어떻게 할 건데? 절대 허락하지 않을 거야?”

“괘, 괜히 의식하게 하지 좀 마~! 그런 생각을 했다간 토모를 예전처럼 대하지 못할 것 같단 말이야!”

“그래? 그거 잘됐네…….”

“뭐, 뭐어……?”

우타하의 노심에서…… 아니, 마음속 깊은 곳에서 가학적인 감정으로 가득 찬 검은 불꽃이 넘쳐 나왔다.

우타하는 여유 넘치는 태도를 취하며 자신보다 키가 크고, 힘도 더 센 미치루의 흔들리는 눈동자를 지그시 바라보더니, 천천히 그녀가 도망갈 곳을 하나하나 막아 갔다.

지금까지 미치루가 느끼지 못했던, 『수치』라는 개념을 그녀에게 심어주기 위해서…….

“효도 양, 당신은 윤리 군에게 자주 프로레슬링 기술을 걸지?”

“예, 옛날부터 그랬어. 하지만 여러모로 배려하면서…….”

“당신이 말하는 배려란, 힘 조절을 말하는 거지?”

“그, 그거 말고 있어?”

"프로레슬링 기술을 당하는 윤리 군의 처지도 배려한 거야?"

"그, 그게 무슨 소리야……?"

우타하는 미치루의 질문에 바로 대답하지 않았다. 그리고 가방에서 스마트폰을 꺼내더니 뭔가를 검색하기 시작했다.

"예를 들어 이 기술 말인데……."

"……파워봄에서 이어지는 새우 굳히기?"

잠시 후, 우타하가 미치루에게 보여준 화면에는 건장한 프로레슬러가 상대를 뒤집어서 바닥에 내동댕이친 후, 그대로 폴을 따내는 클라이맥스 동영상이 나오고 있었다.

"그리고 이 기술 말인데……."

"앗……?!"

그 뒤를 이어 우타하가 미치루에게 보여준 화면에는…… 으음, 기술 자체는 비슷하지만, 뭔가가 다르다고 할까, 전부 다르다고 할까, 아무튼 지금 언급할 수 있는 건 무대가 링에서 침대로 바뀌어 있다는 것뿐이다.

"당신은 그에게 이런 짓을 하고 있다는 걸 자각한 적이 있어?"

"자, 잠깐만! 우, 우선 그 동영상부터 꺼!"

참고로 그 동영상을 틀면서 소리를 끄지는 않았기에, 그 영상을 튼 순간 두 사람이 앉은 자리의 반경 몇 미터 일대가 얼어붙어버렸다는 것을 이 자리를 빌려 밝혀 두겠다.

"당신이 지금까지 그와 프로레슬링 놀이를 하면서, 이 ○○○○○ 되치기……가 아니라, 이 체위……가 아니라, 이 자세가 된 적이 없다고 딱 잘라 말할 수 있어?"

"으……."

"그가 지닌 『남자』의 섬세한 부분 또한 배려했다고 딱 잘라 말할 수 있어?"

"그, 그만해, 선배……. 다들 이쪽을 쳐다보고 있단 말이야."

"싫어. 기왕 이렇게 됐으니 다른 문제 있는 기술을 쓴 적이 없는지 확인할래……. ○○ 말타기라거나, ○○○○홀드라거나……."

"그, 그만……, 그만…… 꺄아아아아아아아아아아아~~~!"

미치루가 자신의 입으로 한 번도 외친 적 없는 새된 비명을 지른 순간, 우타하는 이 승부에 종지부가 찍혔다는 확신을 가졌다.

……하지만 그것은 승자 따윈 존재하지 않는, 허무한 싸움에 지나지 않았다.

"효도 양, 이제 이해했지?"

"용서해줘…… 용서해 달란 말이야."

결판이 난 후에도 우타하는 다양한 『기술』 동영상을 틀면서 미치루를 인정사정없이 궁지에 몰아넣었다.

프로레슬링에서 흔히 일어나는, 절체절명의 상황에서의

대역전 승리 같은 게 일어날 리 없을 만큼, 그것은 그야말로 일방적인 학살이었다.

"용서해 달라는 걸 보면, 자신의 잘못을 인정한 걸로 받아들여도 되겠지?"

"나, 가족 실격이야……. 토모를 이렇게 괴롭혔다니……."

하지만 우타하에게는 미치루에게 이렇게까지 해 둘 필요가 있었다.

토요가사키 학원을 졸업한 데다 『blessing software』에서 탈퇴한 그녀로서는, 그가 다른 여자애와 뜻밖의 사태에 처할 가능성을 최대한 줄여 둘 필요가 있는 것이다.

"그럼 앞으로 당신이 해야 할 일이 뭔지도 이해했겠네?"

"응……."

이걸로 미치루는 그의 『남자』로서의 부분을 의식하게 될 것이다.

프로레슬링 기술을 걸었을 때 『그』가 어떤 감정을 품는지, 정확하게 이해한 것이다.

그러니 『그』와 예전처럼 가벼운 마음으로 스킨십을 하지 못하리라.

그것이야말로 우타하가 미치루에게 사용한 충격 요법이었다.

하지만…….

"앞으로는 제대로 『각오』를 한 후에 기술을 걸 거야."

"……뭐?"

"맞아. 토모에게 반격당해도 어쩔 수 없겠네. ……이런 짓을 했으니까 말이야."

"마, 맞아. 그러니까……."

"토모가 억지로, 강제로 나한테 그렇고 그런 짓을 하더라도…… 나는 불평할 자격이 없어……."

"그런 게 아니라……."

"응. 어쩔 수 없어……. 토모가, 하고 싶다고 한다면 말이야."

"어, 어쩔 수 없어, 같은 소리를 기뻐하면서 할 때가 아니잖아? 효도 양, 당신의 머릿속에는 이제 과도한 스킨십을 자제해야겠다는 판단이 존재하지 않는 거야?"

"그건 무리야. 몇 번이나 말했다시피 토모와 나는 가족인걸."

"당신, 가족이라는 말을 자기에게 유리한 쪽으로 너무 써먹어 대는 것 같은데?!"

미치루가 생각하는 『가족의 유대』라는 것은 웬만한 자극으로는 끊어지지 않을 만큼 튼튼…… 아니, 엉터리투성이였다.

※ ※ ※

"나는 지하철을 타야 하니까 이쯤에서 헤어져야겠네. 선배, 다음에 또 봐."

"우리가 마주치는 일은 두 번 다시 없을 거야."

해가 서쪽으로 약간 기울었을 즈음의 오차노미즈 역 개찰구 앞.

많은 사람들이 주위를 오가는 가운데, 기타를 멘 미소녀와 흑발 롱 헤어 미녀는 그런 인파의 흐름을 무시하며 마주 서 있었다.

"에이, 그런 차가운 소리 좀 하지 마~."

"짜증 나니까 들러붙지 마."

토요가사키 학원에 다니던 시절의 우타하는 얼음 미녀나 흑발 롱 헤어 설녀(雪女) 같은 칭호를 자랑할 만큼 배타적이었다. 하지만 다른 학교에 다니는 이 낯짝 두꺼운 연하 아가씨에게는 그 배리어가 통하지 않는 것 같았다. 지금도 미치루는 멋대로 어깨동무를 했기에, 우타하는 귀찮다는 표정과 목소리로 응전할 수밖에 없었다.

"애초에 당신처럼 장애물을 장애물로 여기지 않는 속 편한 사람은……."

"아, 맞다. 선배, 핸드폰 좀 빌릴게~."

"사람 말 좀 들어."

그리고 자신이 다니는 여고에서도 절대적인 인기와 제멋대로 기질을 자랑하는 미치루는 서클 멤버도, 그리고 고교생도 아니게 된 연상의 여성이 상대인데도 태도에 변함이 없었다.

아니, 예전보다도 더 깊고, 진하며, 친근하게 다가갔다.

"좋았어. 선배의 전화번호 획득~."

우타하의 핸드폰에 자신의 전화번호를 입력하고 바로 전화를 걸더니, 이번에는 자신의 핸드폰에 우타하의 번호를 등록했다.

"……내 전화번호를 얻어서 뭘 어쩌려는 건데?"

서클 멤버였을 때도 전화번호를 교환하지 않았다는 사실을 이제야 눈치챈 우타하는, 불만스러운 표정을 지으며 미치루를 노려보았다.

"혹시 앞으로도 정기적으로 나를 불러내서 괴롭힐 생각인 거야? 이래서 체육 계열은 골치 아프다니깐……."

"오늘도 나보다 선배가 공격했던 시간이 훨씬 길다고 생각하는데 말이야."

"시끄러워."

물론 미치루는 그런 우타하의 시선 따위는 개의치 않으면서, 느긋하게 위대한 선배를 가지고 놀았다.

"아무튼 앞으로도 내 상담 상대가 되어줬으면 해. 토모 문제에 관해서 말이야."

"그런 건 혼자서 어떻게든 해. 프로레슬링이든 섹…… 그라운드 기술이든 가리지 않고 쓰면서 말이야."

"……그리고 서클과 사와무라, 카토에 관해서도 상담할 거야."

"뭐……?"

아니, 가지고 노는 게 아니었다.

"더 들 기운을 낼 수 있도록 도와줬으면 해. ……괜찮지?"

"그 말은……."

"어때? 선배한테도 책임이 있잖아?"

설령 지금까지의 태도는 그렇게 보이지 않았을지도 모르지만…….

"선배에게는, 선배가 내팽개친 서클을 도울 의무가 있단 말이야."

오늘, 이 장소에서 우타하와 우연히 만나게 해준 것을…….

미치루는 신에게 감사했다.

"나에게…… 서클 일에 개입할 권리가 있다고 생각해?"

"그건 서클 대표가 정할 일이야. 그리고…… 우리는 그 녀석이 뭐라고 답할지 알고 있잖아?"

"그건…… 윤리 군, 이라면……."

그렇다. 아마, 시끄럽고, 짜증 나며, 분위기 파악을 눈곱만큼도 못하는 그 후배라면…….

언제나 자신의 팬으로 있어주는 그 후배는…….

아마, 참견쟁이 선배가 느닷없이 개입한다면, 당황하고, 부끄러워하며, 멋쩍어한 후에…….

……여신을 우러러보는 듯한 눈길로 올려다보리라.

"나는 서클을 위해 선배를 이용할 거야. 그러니까 선배는

『어쩔 수 없이』 토모를 만나서 상담 상대가 되어줘."
"어쩔 수, 없이……?"
"뭐, 그때 다소 『무슨 일』이 일어나더라도, 나는 딱히 신경 쓰지 않을 거야."
"효도 양……."
"나는 토모의 가족이잖아. 누구와 바람을 피우든 오케이야~."
"그러니까 당신이 말하는 가족은…… 하아, 됐어."
"선배의 대답도 오케이인 걸로 보면 되지? 그걸 『권리』라고 생각할 정도니까 말이야."
"하아, 정말……."
우타하는 어떤 식으로 태클을 걸면 좋을지 감이 오지 않았기에, 결국 자신답지 않은 표정을 지을 수밖에 없었다.
당혹감과, 어이없음…….
그런 것들이 뒤섞여 만들어진, 순수한 쓴웃음을 말이다.

"그럼 또 연락할게~."
미치루는 가볍게 손을 흔들면서 우타하에게서 멀어져 갔다.
"당신의 개인적인 에로 상담 같은 건 사양하겠어."
그런 미치루를 본 우타하 또한 그녀답지 않게 가볍게 손을 흔들었다.
"토모의 기운 좀 잔뜩 북돋아줘~."

두 사람 사이의 거리가 멀어질수록 서로의 목소리 또한 커졌다.

"나와 윤리 군 사이에 무슨 일이 일어나든 절대 책임 안 질…… 아니, 반드시 책임을 지게 할 테니까 각오해."

하지만 주위의 소음 때문에 두 사람의 목소리는 서로에게 닿지 않았고…….

"만약 그렇게 된다면 어떻게 토모를 유혹했는지 가르쳐줘~. 뭐, 선배라면 말은 그렇게 해도 결국 선은 넘지 못하겠지만 말이야~!"

"이번에야말로 두고 봐! 반드시 ㅇ먹을 거야! ㅇ먹을 거라구! ㅇ먹고 말 거란 말이야!"

그러니 우타하의 혼에서 우러난 그 외침 또한 주위의 소음에 가려……지지 않았기에, 근처에 있던 통행인들이 일제히 그녀를 돌아보았다.

제8.5화

시원찮은 그녀를 위한 육성방법 around 30's side

5월 중순, 수요일.

땀이 희미하게 날 만큼 뜨거운 초여름 햇살……은 어디까지나 한낮에만 인정사정없이 쏟아졌다.

오후 아홉 시가 지나 한낮의 열기가 거짓말처럼 사라져버린 이곳은…… 이번에야말로 이 작품에서 자주 소개되었던 아키하바라다.

……그런 아키하바라의 대로에서 약간 벗어난 곳에 있는 골목 한편에는 조그마한 술집이 존재했다.

"어서 옵셔~."

문이 열리면서 맑은 방울 소리가 울려 퍼지자, 이 가게의 주인인 남성이 힘찬 목소리로 그렇게 외쳤다.

그리고 카운터 너머에서 들려온 그 활기찬 목소리에 약간 압도당하면서 안으로 들어온 그 여성은 눈을 가늘게 뜨더니, 어두운 가게 안을 둘러보았다.

짧은 흑발과 검은색 재킷, 검은색 타이트스커트와 검은색 타이츠.

머리끝에서 발끝까지 검은색으로 통일한 워킹 걸, 아니 오피스 레이디…… 그런 한물간 단어들은 제쳐 두기로 하고, 아무튼 그녀는 퇴근길의 근로 여성 같았다.

나이는 서른 전후로 보이며, 왠지 연애에 달관, 아니, 포기한 듯한 느낌이 감돌았다.

"왔구나. 나 먼전 한잔했어."

"아……."

테이블 두 개와 카운터석 몇 개만 있는 좁은 가게 안에는 네다섯 명 정도의 손님이 있었다. 그리고 카운터석 가장 안쪽 자리에 앉아 있던 여성이 그녀를 보더니 입을 열었다.

그녀 또한 방금 가게에 들어온 여성과 마찬가지로 서른 전후로 보였다.

하지만 정장을 말끔하게 걸친 그 여성과 달리, 깊숙한 곳까지 스커트 부분이 트인 민소매 원피스 차림의 그녀는 상대방과는 직종이 달라 보였다.

하지만 한눈에 알 수 있는 두 사람 사이의 공통점이 존재했다.

머리 뒤편으로 모아 묶은 긴 머리카락도, 원피스도, 발을 감싼 스타킹도, 전부 검은색으로 통일했다는 점이다.

뭐, 딱히 그러기로 정한 것도, 누군가의 취미도 아니라 단순한 우연이지만 말이다.

"우선 건배부터 하자. 점장님, 잔 하나 더 줘요."

"나는 안 마실 거야. 나중에 회사로 돌아가서 일해야 하거든."

정장 차림의 여성은 원피스 차림의 여성이 품에 안고 있는 술병을 미묘한 표정으로 쳐다보면서, 자신이 마실 무알코올 탄산음료 진저에일을 주문했다.

"마감이 코앞까지 닥친 건 나도 마찬가지야."

"그럼 이렇게 퍼마시질 마……."

잠시 후, 그녀는 갈색 라벨이 붙은 병에 담긴 진저에일을 잔에 따르더니 일본주로 술잔을 가득 채운 상대방을 향해 살며시 들었다.

"그럼 수고했어……. 그리고 오래간만이야, 아카네."

"오소노와 이렇게 마시는 게 정말 얼마 만이지?"

"오타쿠 커뮤니티의 잔해 같은 별명으로 부르지 좀 마. 그리고 나를 그 별명으로 부르는 사람은 당시부터 너뿐이었어."

『오소노』라고 불린 정장 차림의 여성의 이름은 마치다 소노코.

후시카와 서점이라는 꽤 큰 출판사의 후시카와 판타스틱 문고라는 라이트 노벨 레이블의 부편집장인, 명실공히 잘나가는(한물간 단어) 커리어 우먼(한물간 단어).

그리고 『아카네』라고 불린 원피스 차림의 여성…… 그녀의 펜네임은 코사카 아카네.

만화가이자, 만화 원작자이자, 일러스트레이터.

자신이 만든 대부분의 작품을 미디어 믹스 시켰으며, 그 파생 작품들 또한 히트시킨 프로듀서이자 디렉터.

참고로 그녀의 본명은 펜네임과 똑같은 코사카 아카네다. 이름에 쓰이는 한자는 다르지만 말이다.

"그건 그렇고, 정말 찾기 힘든 가게네……. 주소로 위치를 검색했는데도 찾는 데 시간이 걸렸어."

"뭐, 장소나 외관상으로도 은신처 같은 느낌이 흘러넘치는 곳이야. 덕분에 업계인들의 소굴이 됐지."

"……아하~."

마치다는 그 말을 듣고 가게 안을 둘러보았다. 그저 좀 깨끗하고 평범한 선술집인 줄 알았던 이 가게의 벽면에 장식되어 있는 것은 일반적인 술집에 장식되어 있을 만한 것들이 아니라, 동인과 상업에서 활동 중인 오타쿠 쪽 일러스트레이터들의 색지와 포스터, 그리고 태피스트리였다.

그중에서 마츠바라 호즈미의 사인이 되어 있는 『사랑에 빠진 메트로놈』 포스터를 발견한 마치다는, 기뻐해야 할지 어이없어해야 할지 감이 오지 않는다는 표정을 지으며 잠시 동안 그것을 쳐다보았다.

"안쪽 벽에는 스크린도 설치되어 있어서 애니메이션 상영회도 가능해."

"그런 속사정을 들어 봤자 어떻게 받아들여야 할지 감이 안 온다구."

알코올은 한 방울도 마시지 않고도 숙취를 느끼는 듯한 기분을 맛본다는 귀중한 경험을 하게 해준 하늘에게 눈곱만큼도 감사하지 않으며, 마치다는 진저에일을 한 모금 마시더니 아카네의 앞에 있는 감자 샐러드를 먹었다.

"그건 그렇고 아카네, 우리가 마지막으로 만난 게 언제였지?"

"후시카와의 파티 아냐? 오소노는 담당 작가에게 찰싹 달라붙어 있었지만 말이야."

"그거 말고 개인적으로, 그러니까 소오 대학 만화 연구회 동기로서 단둘이 만나던 시기 말이야."

"그럼 대학교 졸업한 이후로 처음인 것 같네."

"너는 중퇴했잖아. 우와, 그러면 10년 만인 거네."

"계속 같은 업계에 있었는데, 좀처럼 만날 기회가 없었어."

"뭐, 아카네는 대학 시절에 인기 작가가 됐지만, 나는 계속 말단 편집자였으니까……."

"그래도 지금은 부편집장이잖아?"

"……게다가 네 방식에 그렇게 호의적이지도 않거든."

"……흥."

두 사람은 서른 전후 여성들답게 뜬금없는 이야기로 우의를 다지고 있는 것처럼 보였지만…….

마치다가 낮은 목소리로 칼날 같은 한마디를 날리자, 아카네도 눈을 날카롭게 뜨면서 잔에 든 술을 단숨에 들이켰다.

"그럼 슬슬 본론에 들어가 볼까요……. 후시카와의 부편집장님."

"아카네, 네가 마르즈 측의 결정권을 쥐고 있다고 생각해도 되지?"

텅 빈 잔을 카운터에 내려놓은 순간, 두 사람은 『오래간만에 재회한 대학 시절 동기』에서 『같은 작가를 차지하기 위해 쟁탈전을 벌이고 있는 두 회사의 대리인들』로 변모했다.

※ ※ ※

"우선 전제 조건부터 제시하겠어. 『필즈 크로니클 XIII』은 연말에 발매할 거니까, 마르즈(내)가 카스미 우타코를 붙들고 있는 건 올해만이야. 내년에는 후시카와(오소노)에게 돌려줄 테니까 안심해."

"이쪽의 전제 조건은 『순정 헥토파스칼』의 간행 페이스를 절대로 늦추지 말 것. 카스미 우타코 선생님은 올해 안에 한 권, 그리고 내년 초에 한 권 더 내줘야 해."

"즉, 그 말은……."

"일곱 달 안에 게임 시나리오 하나와, 라이트 노벨 두 권을 집필해야 한다는 거네?"

"……."

"……."

그리고 두 회사의 대리인들의 싸움은 시작되고 몇 초 만에 암초에 부딪쳤다.

"음성을 수록해야 하니까 대사 부분 텍스트는 8월 말에 완성되어야……."

"이쪽도 다음 3권이 10월 발매 예정이니까, 아무리 늦어도 8월 말에는 초벌 원고가……."

"……."

"……."

그리고 몇 초 후, 배 밑바닥에 균열이 생기더니 침수되기 시작했다.

"이제부터 넉 달이 승부처구나."

"『코사카 아카네』라면 못 해낼 양도 아니지만……."

"카스미 우타코는 대학생이지?"

"소오 대학교. 우리 후배야. 두 달 전까지는 고교생이었지만 말이야."

"뭐, 그렇게 젊다면……."

"양은 그렇다 치고, 지금의 당신이 바라는 퀄리티를 그 기간 안에 이뤄 낼 수 있을까?"

"……."

"……."

그리고 배에 구멍을 낸 두 뱃사공은 침묵이 찾아올 때마다 잔에 든 일본주와 진저에일을 비웠지만, 그건 아무래도 상관없었다.

하지만 다시 잔에 술을 따른 순간…….

"그럼 어쩔 수 없네. 그 녀석은 죽어줘야겠어."

"말도 안 되는 소리 하지 마!"

아카네의 눈동자 깊은 곳에, 자신을 극한까지 몰아넣을 때 보여주는 크리에이터의 거무튀튀한 빛이 맺혔다.

"단순한 비유야. 죽어 달라는 건, 모든 걸 활활 태우라는 의미……."

"그건 크리에이터로서 죽으라는 소리나 마찬가지잖아!"

그리고 인간으로서의 배려를 내던진 순간, 옆에 있는 사업상의 경쟁자의 헛소리 같은 것은 그녀의 귀에 전혀 들어오지 않았다.

"내 경험에 비춰볼 때 반년 정도 쉬면 원래대로 돌아와……. 열 명 중 일곱 명은 말이야."

"헛소리하지 마!"

마치다의 고함이 가게 안에 울려 퍼졌다.

하지만 주위에 있는 손님도 업계인이라 그런지, 이런 말다툼 때문에 놀라거나, 귀를 쫑긋 세우는 사람은 가게 주인을 포함해 단 한 명도 없었다.

"그렇게 걱정되면 너희 쪽 간행 시기를 늦추면 되잖아?"

"나중에 끼어들어 놓고, 치킨 레이스를 하자는 거야?"

"미리 말해 두겠는데, 승낙한 사람은 카스미 우타코야. 나는 강요하지 않았어."

"너야말로 물러나! 애초에 RPG 작품 하나를 통째로 만드는데 개발 기간이 왜 이렇게 짧은 건데?"

마치다의 지적이 타당하기 그지없기 때문인지, 아니면 정곡을 찌른 것인지는 모르겠지만…….

탁하기 그지없던 눈동자에 붉은빛이 희미하게 돌아온 아카네는 미소를 머금으며 술을 들이켰다.

"그야 나와 마르즈의 계약 조항에 명시되어 있기 때문이지."

"반드시 올해 안에 발매하겠다고?"

"응. 이쪽 문제로 발매가 연기될 경우, 나에게 지급될 보수와 동일한 금액의 위약금을 상대방에게 지불해야해."

"……잠깐만 있어 봐."

하지만 술 냄새를 풍기며 토한 그 말은 주위에 있는 손님들을 화들짝 놀라게 할 만큼, 업계의 관습…… 아니, 상도덕에 어긋났다.

"그럼…… 발매를 연기하면 공짜로 일한 게 되잖아……."

"카스미 우타코와 카시와기 에리한테 책임을 지울 생각은 없으니까 안심해. 그녀들의 작업이 늦어져서 발매가 연기되었을 경우에는, 내 포켓 머니로 보수를 지불할 뿐이야."

"큭, 그런 식으로 크리에이터에게 압박을 가하지 마!"

아카네가 지금까지 번 돈을 생각해보면, 설령 1년 동안 무보수로 일을 해 봤자 아무렇지도 않을 것이다.

하지만 아무리 고용주에게 금전적 여유가 있다고 하더라도, 그 막대한 손실의 원인이 자신에게 있다는 걸 안 시나리오 라이터와 원화가는…….

"아카네…… 너는 역시 이상해."

"이제 와서 무슨 소리야?"

아카네는 빈 병을 거꾸로 들면서 흔들더니, 가게 주인에게 같은 술을 병째로 또 주문했다.

이렇게 술을 퍼마시는데도, 그리고 이렇게 말도 안 되는 이야기를 하면서도, 그녀의 낯빛은 전혀 변하지 않았다. 그저 담담하게 자신의 광기를 드러내고 있었다.

"이만큼 양보하지 않았다면, 마르즈는 나에게 이 일을 맡기지 않았을 거야. ……그러면 스태프의 쇄신은 이뤄지지 않았을 테고, 『필즈 크로니클』 시리즈는 구태의연하게 쇠퇴했겠지."

"그렇다고 네가 이렇게까지 할 필요가 있어?"

"나는 필즈 크로니클을 좋아해! 그건 오소노도 알잖아?!"

"윽……."

그렇다. 십여 년 전, 소오 대학 만화 연구회의 신입 부원 환영회 자리에서의 일이었다.

우연히 같은 테이블에 앉게 된…… 아니, 같은 테이블에 모이게 된 그해 신입 부원 세 사람은 고교 시절까지의 오타쿠 편력을 적나라하게 고백했고, 때로는 싸우고, 때로는 웃고, 때로는 감동적인 장면을 회상하며 함께 울었다.

그리고 마치다는 떠올렸다…….

코사카 아카네에게 있어 창작의 원점은, 초등학생 때 플레이한 최초의 『필즈 크로니클』이라는 사실을 말이다.

"마음이 변했어……. 역시 우리 쪽을 우선해야겠어. 후시카와 따위가 방해하게 둘 순 없다구."

작품을 팔기 위해서라면 뭐든 한다. 팔리는 거라면 뭐든 만든다.

걸작과 성공과 돈이 약속된, 미디어 믹스의 몬스터.

세간에서는 코사카 아카네를 그렇게 평가한다.

아마 그것은 틀린 말이 아닐 것이다.

그렇기 때문에 그녀는 엄청난 부와, 명성과, 팬과, 수하와, 안티와, 적에게 둘러싸여 있는 것이다.

"카스미 우타코는 온 힘을 다해서 내 『취미』에 어울려줘야겠어."

하지만 그런 그녀의 동기는 다른 이들이 상상하는 것과는 다른 차원에서 생겨나고 있는 것일지도 모른다.

"『순정 헥토파스칼』……? 그딴 건 우리 쪽 시나리오 작업이 끝낸 후, 빈 껍질이 된 상태에서 대충대충 쓰면 돼."

"약속과 다르잖아. 그런 게 용납될 리……."

"그게 싫다면 괴물이 되면 돼. 간단하지?"

"뭐……."

크리에이터를, 때로는 자기 자신조차 내팽개치면서, 순수하게, 자신만이 원하는 작품을 이 세상에 내놓고, 억지로라도 성공시킨다.

그런 그녀는 그저, 빌어먹을 오타쿠에 지나지 않았다…….

※ ※ ※

"……정말 쓸모없는 시간이었네."

"그래? 나는 오래간만에 오소노와 이야기를 나눠서 반가웠어."

"아무튼 트러블을 일으키면 법무부를 동원할 테니까 각오해, 아카네."

"안심해. 돈으로 해결할 수 있다면 얼마든지 지불할 거야."

"글쎄 그런 문제가 아니라……."

결국 두 사람의 이야기는 결판이 나지 않았다.

아니, 이 두 사람이 결론을 내리는 것 자체가 무리였을지도 모른다.

"아아, 이걸로 『순정 헥토파스칼』의 애니메이션화가 반년은 늦춰질 거야…….”

“그럼 그 늦춰진 시간을 메워줄 만한 우수한 프로듀서를 소개해줄까?”

“싫어. 어차피 치토세잖아? 그리고 걔는 후시카와의 사원이야.”

“너무 싫어하지 마. 대학도, 서클도, 회사도 같은 곳이잖아.”

“애초에 소오의 만화 연구회는 ○○○○뿐이야.”

“오소노도 포함해서 말이야…….”

그런고로 『양쪽의 계약이 모두 유효하니 최종적으로 결정하는 사람은 카스미 우타코』라는, 딱히 확인할 필요도 없는 결론에 도달한 후, 두 사람은 얼이 나간 듯한 표정으로 카운터에 엎드렸다.

아니, 아카네는 술에 취해서 뻗은 걸지도 모르지만 말이다.

“아무튼 카스미 우타코 쪽은 내년에 반드시 돌려줄게. 그러니까 반년만 참아.”

“그 점도 정말 마음에 안 든단 말이야…….”

“이번에는 또 뭐가 마음에 안 드는데?”

“너, 방금 카스미 우타코 『쪽은』이라고 말했지?”

“그게 어때서…….”

“즉, 카시와기 에리 『쪽은』 앞으로도 놔줄 생각이 없다는 거잖아?”

그 말을 들은 아카네가 한순간 움직임을 멈추자, 마치다는 잔 안에 남아 있던 얼음을 입 안에 넣고 씹어 먹었다.

"카시와기 에리는 후시카와와 같이 일을 하고 있지 않으니까, 오소노가 참견할……."

"아카네는 카스미 우타코보다 카시와기 에리를 높이 평가하고 있지?"

마치다는 얼음을 씹으면서 그렇게 말한 탓에 목소리가 약간 흐트러졌지만, 그래도 그녀의 어조와 태도를 통해 그녀가 느끼고 있는 불만은 아카네에게 전달됐다.

"카시와기 에리는 머리가 좋지 않거든……. 크리에이터로서 말이야. 그래서 어떻게 하면 자신의 힘을 발휘할 수 있는지 몰라."

그리고 불만을 느끼고 있는 마치다를 달래—려는 것처럼은 전혀 보이지 않았지만…….

"카스미 우타코처럼 머리가 좋은 녀석은 자신을 컨트롤할 수 있어. 그러니 진짜로 위험할 때는 멈출 수 있어."

하지만 아카네는 약간 온화한 쓴웃음을 짓더니, 약간 삐친 듯한 동창에게 따뜻한 목소리로 말했다.

"하지만 바보는 자신의 한계를 모른 채 질주하고 말아."

"카시와기 에리가 그렇다는 거야?"

"그 녀석은 나에 버금가는 왕바보거든."

그 부드러운 쓴웃음이 진짜로 마치다를 향하고 있는지는

알 수 없었다.

"봤지? 『필즈 XⅢ』의 그 키 비주얼 말이야……."

"그건 나나 세간이 아는 카시와기 에리의 그림이 아니었어."

"그걸 그리는 데 며칠『밖에 걸리지 않았는지』 알아? 그 녀석은 진짜 바보야……."

아카네의 쓴웃음은 어느새 유쾌한 미소로 바뀌었다.

그리고 그것이 누구를 향한 것인지도 명확해졌다.

"분명 카시와기 에리는 엄청난 일러스트레이터가 되어 가고 있어……."

그리고 그 사실이 명백해진 순간, 마치다가 벌레라도 씹은 듯한 표정을 지었다.

"하지만 나는 카스미 우타코가 카시와기 에리보다 낮게 취급되는 걸 납득할 수 없어."

그녀들은 자식의 성적을 비교하며 기뻐하고 슬퍼하는 부모들 같았다.

"올해를 끝으로 카스미 우타코를 놔줬다간 후회할 거야, 아카네."

"아까와 하는 말이 정반대 같은데?"

"멋대로 지껄여. 그 애는 머지않아 나오키상[#2]을 받을 거야. 너 따위는 함부로 말도 걸 수 없는 작가가 될걸?"

"문예 쪽으로 간다면, 오소노도 같이 일할 수 없을 텐데?"

#2 나오키상(直木賞) 일본의 권위 있는 문학상. 주로 대중 작가의 통속 소설에 수여됨.

“카스미 우타코가 진짜로 문예 쪽으로 가고 싶어 한다면 내가 그녀를 그쪽에 추천할 거야. 뭣하면 나도 부서를 이동하면 돼.”

“……진짜로 반했구나.”

“너도 카시와기 에리에게 푹 빠졌잖아.”

“그녀의 재능에 빠졌지……. 인간적으로는 좀 그렇지만 말이야.”

“무슨 소리야! 남을 기르는 사람이 그런 소리를 하면 어떻게 해!”

……마치다가 마시는 것은 분명 알코올이 한 방울도 들어가지 않은 진저에일이다.

하지만 축 가라앉은 눈으로 이런 소리를 해 대는 모습은 술 한 병을 통째로 비운 주정뱅이나 다름없었다.

“재능에 반했다면, 그 사람 자체에게도 반해. 하다못해 평범한 행복도 선사해주란 말이야.”

“그런 건 내가 알 바 아냐. 본인의 노력 여하에 달린 거잖아.”

“그럼 하다못해 본인의 노력을 방해하지는 마!”

“그럴 수는 없지. 나는 그 녀석을 그림쟁이로서 성장시키기 위해서라면 무슨 짓이든 할 거야. 딱히 불행하게 만들 생각도 없지만, 그녀의 사생활은 전혀 배려해주지 않을 생각이지.”

아마 일반적으로 본다면 마치다 쪽이 올바를 것이다.

하지만 그런 주장을 하는 방식 자체에는 문제가 많았다. 술도 전혀 취하지 않았으면서 말이다.

"나는 내가 맡은 작가를 그런 식으로 대하지 않아……. 왜냐면 시 양은 내가 찾아낸 최고의 보석인걸……."

"시 양? 그건 뭐야? 너, 자기 별명이 오타쿠 커뮤니티의 잔해라고 불평했으면서……."

"이익, 시끄러워! 시끄럽다구!"

참고로 그 골 때리는 닉네임 계보는 카스미 우타코의 『윤리 군』으로 이어져 내려갔다는 사실을, 운 좋게도 아카네는 아직 몰랐다.

뭐, 그건 그렇고…….

"나는 그 애가 소설가로서도, 한 사람의 여성으로서도 행복해질 수 있는 길을 함께 찾아볼 거야."

"네가 그녀의 엄마라도 돼?"

"하다못해 엄마가 아니라 언니라고 해."

"하지만 우리 같은 아줌마가 미성년자의 연애질에 참견해봤자 아무 소용 없지 않아?"

"아줌마라고 하지 마! 너도 독신이잖아!"

"바로 그거야, 오소노. 이미 여자이기를 포기한 우리가 여자의 상담 상대가 되어줄 수 있을 리가 없어."

"잠깐만, 아카네! 나는 아직 여자이기를 포기하지 않았어!"

"이제 그만 각오를 다져……. 우리에게 여자의 행복 같은 건 찾아오지 않아."

코사카 아카네의 작품과 그녀의 됨됨이를 아는 사람이라면 그녀가 이런 언동을 취할 거라는 사실을 상상할 수 있었겠지만…….

그래도 팬으로서는 그다지 보고 싶지 않은 광경이리라.

"그 대신, 남에게 인정받고 싶다는 욕구를 충족시키고 있어……. 이 세상의 오타쿠 콘텐츠를 나와 내 칠드런으로 가득 채울 거야."

……이 말만 하지 않는다면 말이다.

"이것도 일종의 가족이라고 할 수 있지 않을까?"

"……너의 그 과대망상에 어울려줄 생각은 없어."

마치다의 말을 듣고도 전혀 감명받지 않은 듯한 아카네는, 자신의 가방을 들더니 뭔가를 찾기 시작했다.

"벌써 가게?"

시계를 보니 슬슬 오후 열한 시가 다 되어 가고 있었다.

"아니…… 한잔하기로 마음먹었어. 저기, 죄송한데 잔 하나 더 주세요."

하지만 가방 안에서 나온 것은 지갑이 아니라 술을 마시기 전에 복용하는 위장약이었다.

가게 주인은 「이제부터 마시는 거냐……」 하고 말하는 듯한 눈길로 마치다를 쳐다보았다.

하지만 서른 전후의 여성이 그런 눈길을 신경 쓸 리가 없다.

“좋아. 소노코, 내일 아침까지 코가 삐뚤어지도록 마셔보자.”

참고로 이 가게는 원래라면 슬슬 문을 닫을 시간이었다.

“새벽 열차가 달리기 시작하면 돌아갈 거야. 아홉 시에 편집 회의가 있어.”

“괜찮아. 내 마감은 오늘 자정이거든.”

“아카네, 너는 이제 돌아가. 안 그러면 내가 네 담당 편집자 손에 죽을 것 같아.”

제8.7화

츠바키 여자고교 애니송 동호회의 방과 후

5월 중순, 금요일.

요 며칠 동안 맑은 날씨가 계속된 탓인지 해가 기울어 가는데도 전혀 시원하지가 않은, 교내의 어느 교실.

……참고로 이곳은 이 작품에서 자주 나온 토요가사키 학원으로부터 전철로 한 시간 정도 걸리는 거리에 있는, 인근 현의 츠바키 여자고등학교.

…………의, 음악실.

"늦어서 미안…… 어, 어라, 아직 다 안 왔네? 저기~ 토키. 밋치는 어디 있어?"

다른 학교와 별반 다를 게 없는 그 음악실 안…… 같은 식으로 정경 묘사를 간략하게 끝내기로 하고, 이 자리에 종종걸음으로 나타난 사람은 약간 나른해 보이는 목소리를 지닌 여자애.

항상 장난기 섞인 표정을 짓는 주근깨투성이 얼굴과, 부드러운 쇼트커트.

츠바키 여자고등학교 3학년 1반, 미즈하라 에치카.

이 학교에 다니는 다른 학생들과 마찬가지로 흰색 블레이저 교복을 입은 그녀는, 안고 있던 베이스를 벽에 기대어 놓더니 주위를 둘러보았다.

"그게 말이지~. 내 말 좀 들어봐. 밋치는 종례가 끝나자마자 바로 담임에게 잡혀갔어!"

그리고 에치카의 말에 대답한 사람은 그녀보다 먼저 음악실에 와 있던 두 사람 중 한 명이었다.

항상 의욕이 넘치고, 고주파 목소리를 내며, 그 목소리에 걸맞은 귀여운 표정으로 쉴 새 없이 떠들어 대는, 사이드 포니테일 스타일의 소녀.

츠바키 여자고등학교 3학년 4반, 히메카와 토키노.

"……수학과 영어, 정보 처리 과목 추가 시험을 쳐야 한대."

그리고, 그런 토키노의 뒤를 이어 입을 연 사람은 그녀와 함께 음악실에 있던 사람이었다.

토키노와는 대조적일 만큼 항상 차분하며, 실은 자고 있는 것은 아닐까 하는 착각이 드는, 약간 통통한 느낌의 사이드 포니테일 스타일의 소녀.

츠바키 여자고등학교 3학년 5반, 모리오카 란코.

"잠깐만 있어 봐. 추가 시험을 치는 과목 숫자도 놀랍지만, 아직 5월밖에 안 됐잖아? 중간고사조차 치지 않았는데

벌써 추가 시험을 친다는 거야?"

"우리도 이해가 안 돼서 교무실에 따라갔어! 그런데 알고 보니 밋치는 2학년 기말 추가 시험을 아직 통과하지 않았대. 그 애가 진급한 건 학교 측의 온정 덕분이었어!"

"……학교 측은 『새 학기에 반드시 통과하겠다』는 조건으로 오케이 한 것 같아."

"정말? 밋치 걘 대체 얼마나 농땡이를 친 거야?"

"그것보다 우리 학교가 이렇게 진급을 쉽게 시켜준다는 게 더 놀라워!"

"……기말고사 때 괜히 열심히 공부했어."

참고로 이 세 사람은 같은 학교에 다니는 친구 사이라는 점 이외에도 또 하나의 공통점을 지니고 있었다.

"그건 그렇고, 밋치 걘 토요가사키에 편입하겠다고 그렇게 큰소리를 쳤으면서 결국 요 모양 요 꼴이야~?"

미즈하라 에치카…… 요즘 들어 자신이 사는 현뿐만 아니라 도쿄의 라이브 하우스에서도 이름이 알려지고 있는 애니송 걸즈 밴드 『icy tail』의 베이시스트, 에치카.

"맞아. 우리 학교보다 학력 등급이 훨씬 높은 데다, 편입 시험은 다른 시험보다 난이도가 더 높잖아."

히메카와 토키노…… 『icy tail』의 기타리스트……이자, 요즘은 코스튬 플레이어 『토키』로서도 활동 중이다.

"……뭐, 그렇게 머리가 모자라니까 그런 무모한 작전을 펼친 걸지도 몰라.”

그리고 모리오카 란코…… 『icy tail』의 드러머이자, 보이지 않는 곳에서 밴드의 버팀목 역할을 하는 믿음직한 리더, 란코.

“란코는 때때로 인정사정없다니깐~.”

“맞아! 그 편입 시험 소동이 끝난 후에도 한동안 밋치와 말도 섞지 않았잖아.”

“……딱히 무시한 건 아냐. 밋치가 말을 걸어오지 않으니까 대화를 나누지 않은 것뿐이지.”

아, 참고로 말끝에 『~』을 자주 붙이는 사람이 에치카, 대화 중에 『!』을 자주 쓰는 사람이 토키노, 말머리에 『……』를 자주 붙이는 사람이 란코라는 걸 기억해 두면 대화의 흐름을 파악하기 쉬울 것이다.

“에이, 화난 란코에게 말을 거는 무모한 짓을 누가 하겠어~.”

“맞아, 항상 감고 있는 그 눈을 떴을 때 무슨 일이 일어날지 모르잖아!”

“……딱히 내 눈에 빛이나 빔을 뿜는 기능은 달려 있지 않아.”

참고로 딱히 의미는 없지만 란코의 생일은 8월 28일…… 처녀자리다.

“뭐, 어쩔 수 없을 거야. 밋치는 『남성 한정으로는』 앗키(아키 토모야) 일편단심이잖아~.”

“잠깐, 그런 식으로 말하면 여자 방면으로 쓸데없는 오해를 살 것 같은데?!”

“……확실히 『아직은』 밋치를 건드렸다는 정보를 입수하지는 못했어.”

“둘 다 악의가 넘치는 거 아냐?! 확실히 백합은 숭고하고, 모에하고, 수요도 있거든? 하지만 밋치는 노멀이잖아?”

“노멀이 사촌 상대로 발정 날까~?”

“글쎄 발정난 게 아니라구! 밋치의 말에 따르면 그저 『먼 남보다 가까운 친척』일 뿐…….”

“으음~, 전자(먼 남)가 이길 가능성이 전혀 없는 것 같은데?”

“……그래. 밋치는 딱히 발정 난 게 아냐. 그저 친척 남자애를 상대로 정조 관념이 없을 뿐이지.”

“그럼 완전 근○상○ 모드 아냐?!”

이런 식으로, 오타쿠 여고생다운 생활을 매일같이 보내던 그녀들은 현재 밴드 동료이자, 밴드 멤버 중 유일하게 비(非) 오타쿠이자, 여고 교내 인기 넘버원 여자애이자, 밴드의 꽃이라고 할 수 있는 보컬리스트, 밋치, 츠바키 여자고등학교 3학년 4반, 효도 미치루에 관해 이야기꽃을 피우고 있었다.

“뭐, 결국 그쪽으로도 문제가 발생할 것 같지는 않긴 해. 앗키는 애인도 있잖아. 그리고 그 애를 화나게 하면 엄청 무섭다는 소문을 들은 적이 있어~.”

"하지만 밋치의 말에 따르면 「카토는 토모의 애인이 아니라 그저 메인 히로인」이라던데?"

"……그 정보에서 어떻게 『애인이 아니다』라는 결론으로 귀결되는 건지 모르겠어."

"애초에 그런 소름 돋는 칭호를 듣고도 헤어지지 않는 것만 봐도 꽤 가능성이 있는 것 같잖아~."

"그 말, 밋치 앞에서는 절대 하지 마! 알았지?!"

……그것도 미치루뿐만 아니라 다른 사람에게도 들려줄 수 없을 수준의 이야기를 말이다.

※ ※ ※

"그런데 어떻게 할 거야? 밋치가 안 오면 전체 연습을 할 수가 없잖아~."

각자가 맡은 악기의 튜닝과 개인 연습을 하면서 네 시까지 기다렸지만, 납치당한 미치루는 풀려날 기색조차 보이지 않았다.

"오늘은 이만 해산할까? 란코는 어쩌고 싶어?"

"……오늘은 그러는 편이 좋을지도 모르지만……."

토키노에게 결단을 종용당한 란코는 여전히 아무도 들어올 기색이 없는 문을 쳐다보더니, 근본적인 문제를 제시하며 한숨을 내쉬었다.

"……밋치가 밴드에 복귀할 수 있는 건 대체 언제인데?"

"…………."

"…………."

"……2월 기말 때부터 석 달 동안 추가 시험을 통과하지 못한 밋치가, 며칠 안에 통과할 수 있을 거라고 생각해? 그것도 그 무사태평녀(밋치)가 말이야."

"…………."

"…………."

그 질문을 받은 에치카와 토키노가 「그건 우리도 알고 싶어」라는 근본적인 대답을 하려다 꾹 참자, 음악실에는 정적이 감돌았다.

무드 메이커인 미치루가 없을 뿐인데도 『icy tail』은 이렇게 간단히 빛을 잃고 만다…… 같은 소리를 할 때가 아니다. 이번에는 그 무드 메이커가 무드 브레이커가 되었으니 말이다.

"어떻게 할 거야~? 밋치가 돌아오면 납치해서 공부 합숙이라도 할까?"

"그 방법밖에 없을지도 몰라. 그럼 우선 란코네 집에 모여서……."

"……너희는 왜 항상 우리 집에 오고 싶어 하는 건데?"

"그럼 어떻게 할 건데~? 앗키네 집에 데려가서 밤새 공부하게 할까?"

"아, 그것도 괜찮을지 몰라! 밋치도 거기라면 순순히 따라

올 거잖아.”

“……밤샘 게임 대회나 밤샘 애니 마라톤, 혹은 아침까지 오타쿠 토론을 하는 미래밖에 안 보여.”

“……응~.”

“……뭐, 그건 그래.”

사실 그런 무사태평한 플랜을 듣고 마음이 혹한 멤버가 이 자리에 세 명 정도 있었지만, 그 사실을 입에 담을 만큼 분위기 파악 못하는 망할 오타쿠는 이 자리에 없었다.

게다가 사실 현재 『icy tail』에게는 절실한 문제가 하나 더 있었다.

그건 바로…….

“하지만~. 라이브까지 한 달도 안 남았잖아~?”

그런 절박한 상황에서 보컬 겸 리드 기타 겸 작곡가도 없이 라이브 준비를 해야만 한다는, 밴드에게 있어서는 말도 안 될 만큼 심각한 문제였다.

“어떻게 할까? 일단 핫시(하시마 이오리)와 상의할까?”

그런 위기 상황에서 토키노가 떠올린 건 바로 잘생긴 동갑내기 소년의 짜증 나는 앞머리였다.

그의 이름은 하시마 이오리.

며칠 전 전임자인 아키 토모야를 대신해 『icy tail』의 2대

매니저로 취임했으며, 동인 업계에서는 예전부터 유명했던 동인 건달…… 프로듀서다.

“하지만~ 그 녀석이 뭐라고 할지 뻔하잖아.”

“……「연습 같은 거 안 해도 괜찮아. 최고의 연주만 해준다면 말이야」 하고 말하겠지?”

“「어떻게 하면 좋을지 내가 어떻게 알겠냐고」라든가!”

“그리고 애초에 그 녀석 때문에 스케줄이 이렇게 촉박해진 거잖아~.”

셔터 앞 동인 서클의 전 대표라는, 『마이너를 성공시키는 방법을 아는 멤버』의 가입은 『메이저 데뷔는 몰라도 좀 유명해지고 싶네~』 같은 꿈을 꾸던 그녀들에게 있어 최적의 인재였다.

또한 외모도 사람에 따라 평가가 크게 갈리는 전임자(토모야)와 달리, 누구나 다 인정할 만한 범용적인 미남(하지만 경박함)인 이오리는 그녀들이 일종의 기대를 품게 하기에 충분한 인재였다.

하지만 하시마 이오리라는 남자는…….

“하아~, 걔는 정말 최악이라니깐! 앗키가 얼마나 우리를 배려해줬는지 실감했어!”

“좀 페이스를 맞춰줬으면 좋겠어~. 연주하는 사람은 바로 우리잖아~.”

“……하다못해 우리 의견에 귀를 기울여주면 좋겠어.”

확실히 그의 매니지먼트 수완은 혀를 내두를 수준이었다.

지금까지 거의 들러리나 보결 밴드 정도로 취급당하던 『icy tail』의 두 시간 단독 라이브를, 멤버들의 양해도 구하지 않고 결정했던 것이다.

물론 두 시간이나 버틸 레퍼토리와 자신감이 없는 그녀들은 그 말을 듣자마자 얼이 나가버렸고, 그 다음에는 맹렬하게 항의했다.

하지만 이오리는 그런 의견들을 깔끔하게 무시했을 뿐만 아니라, 경악을 금치 못할 계획을 밝혔다.

……라이브 당일에 행사장에서 『icy tail』의 퍼스트 CD를 판매한다는, 그녀들이 고교 졸업 후의 목표로 생각했던 이벤트를 겨우 1월에 실현시키려는 경천동지할 내용이었으며…….

"그런데 오리지널 곡을 앞으로 몇 곡이나 더 만들어야 하는 거야?"

"뭐~, 미니 앨범이라면 지금 레퍼토리로도 어떻게든 될 거야~."

"……두 시간 라이브를 위해서는 다섯 곡은 더 있어야 해."

그리고 그 다섯 곡을 만들 수 있는 밴드 유일의 작곡가(미치루)는…….

"역시 무리야!"

"완전 무모해~!"

"……불가능 그 자체네."

세 사람은 동시에 한숨을 내쉴 수밖에 없었다.

"하지만 그렇다고 전부 때려치울 수는 없잖아."

"무엇보다 밋치가 의욕을 불태우고 있는걸~."

"……그럼 추가 시험 정도는 통과하라는 소리는 일단 하지 말자."

그렇다. 무엇보다 이 밴드의 설립 이유이자 상징이라 할 수 있는 최강의 보컬리스트가 이 무모한 계획에 긍정적인 반응을 보인 것이다.

애초에 (실력은 제쳐 두고) 최대한 빨리 메이저에 올라갈 생각이 넘쳐흐르는 미치루는 이오리의 스타일에 매우 호의적이었다.

"하지만 밋치는 속고 있는 거야! 핫시는『icy tail』을 위해 그러는 게 아니잖아."

"맞아~. 결국 핫시의 머릿속에는『blessing software』 생각밖에 없을 거야~."

"……즉, 앗키를 위한 거다 이거지……."

그 무모한 라이브와 CD 제작 계획을 발표했을 때, 이오리는 겸사겸사 그녀들의 올해 1년간의 목표 또한 발표했다.

『blessing software』가 낼 다음 작품의 주제가로,『icy tail』의 악곡을 사용한다.

그러니 겨울 코믹마켓 때까지『icy tail』의 지명도를 올려야 한다.

적어도『blessing software』 신작의 구매 이유 중 2할을

『icy tail』이 참가했기 때문으로 만들 것이다.

즉, 이오리가 『icy tail』의 인기를 끌어올리려 하는 진짜 이유는 바로 『blessing software』의 신작 프로모션 때문…….

"핫시는 성실하네."

"앗키가 믿고 맡겼으니 대충대충 할 수는 없는 걸 거야~."

"……그는 우리보다 앗키를 우선하잖아."

"앗키는 애인이 있는데도 말이야."

"그 녀석, 앗키 애인한테 엄청 미움받을 것 같다~."

"……분명 전쟁이 일어날 거야. 틀림없어."

그런 불온한 예언을 한 그녀들의 얼굴에는 「그런 것도 싫지는 않아」 하고 말하는 듯한, 따뜻한 자상함으로 가득 차 있었다.

"자, 그럼 우리는 이제 어떻게 하지?"

"그 녀석 편에 설 건지, 앗키의 애인 편에 설 건지?"

"……그건 거론할 필요도 없어. 우리는 밋치 편에 설 거잖아."

"그럼 핫시의 진정한 목적을 알려줘서, 밋치를 진실에 눈뜨게 해야 해!"

"맞아~. 우리가 죽을힘을 다해 봤자 결국 기뻐할 사람은 핫시와 아키야~."

"……하지만 밋치는 그걸 원할지도 몰라."

"으……."

"으음……."

"…………."

그렇다. 그녀들은 알고 있다.

이오리와 『icy tail』이 지향하는 바가 차이가 나듯, 그녀들과 미치루 또한 열의 면에서 크게 차이가 나고 있다는 사실을 말이다.

그것도, 내버려 뒀다간 고등학교를 중퇴하고 말 정도였다.

그게 무엇을, 누구를 위한 것인가는 일단 제쳐 두기로 하고…….

"진짜로 『필즈 크로니클』과 싸울 생각인 거구나……. 앗키도, 핫시도, 그리고 밋치도 말이야."

"『필즈 크로니클』이라면, 코사카 아카네?"

"……그리고, 카시와기 에리와, 카스미 우타코."

"하지만 얼마 전까지 서클 멤버였던 그 두 사람과도 이제 격에서 너무 차이 나지 않아?"

"뭐~, 지금까지 인디에서 활동했는데, 느닷없이 킹레ㅇ드…… 아니, 소ㅇ 뮤직에서 데뷔한 걸로 모자라, 데뷔 콘서트를 사ㅇ타마 슈퍼 아레나에서 개최한 거나 마찬가지잖아~."

비유 자체가 꽤나 독특하다는 건 일단 제쳐 두기로 하고, 그녀들은 서로 간의 격차가 얼마나 나는지 감조차 오지 않았다.

게다가 뭘 어떻게 해야 승리하는 건지도 알 수 없었다.

동인 게임으로 거대 상업 게임 회사의 킬러 타이틀에게 도전해 봤자 경기 그 자체가 성립되지 않는다고 보통은 생각할 것이다.

"……그야말로 돈키호테네."

그러니 결국 이도 저도 아닌 결론에 도달하고 만다.

"그런데 우리는 결국 어느 편에 설 거야?"

"그러니까 아까 말했던 것처럼 밋치 편에 설 거잖아~?"

"……밋치 편에 선다는 건 필연적으로 『필즈 크로니클』과 싸운다는 뜻인데?"

"그, 그럼~. 다른 선택지 있어~?"

"……밋치 편에 설 것인가, 말 것인가."

"…………"

"…………"

미치루의 정신 나간 짓에 온 힘을 다해 어울리며, 마르즈의 사운드 팀 및 거대 레코드 회사의 아티스트와 승리 조건조차 모르는 싸움을 벌일 것인가.

아니면 지금처럼 인디 애니송 걸즈 밴드로서 아키하바라를 중심으로 느긋하게 활동할 것인가.

……네 명이 아니라, 세 명이서 말이다.

그런, 너무나도 어이가 없고, 바보 같으며, 하지만 그녀들에게 있어 심각한 선택지를…….

"뭐, 일단 중요한 건 이번 주말이야!"

"밋치를 납치해서 란코네 집에 모이자~."

"……그러니까 왜 우리 집에 모이려는 건데."

결국 그녀들은 어느 쪽도 고르지 않았다.

그 『고르지 않는다는 선택』이 결과적으로 미치루의, 그리고 『blessing software』의 편에 선다는 것을 뜻한다는 사실을 알면서도…….

"그런데, 대체 어떻게 밋치에게 공부를 시킬 건데?"

"책상 앞에 묶어 둘 수밖에 없겠지~."

"……그럼 가는 길에 밧줄을 사야겠네. 우리 집에는 그런 게 없거든."

하지만, 자신들 나름대로 앞으로 나아가기로 했다.

라이브의 성공과 CD 발매, 그리고 그것을 통해 성공의 연쇄 반응이 파생적으로 발생하기를 빌면서 말이다.

세 사람은…… 아니, 네 사람은 이 작은 음악실에서, 작디작은 반격의 봉화를 피웠다.

이 막간은 9권 에필로그를 읽은 후에 읽어 주십시오

"그럼 내일…… 학교에서 봐."

"자고 가도 되는데. 시간도 꽤 늦었잖아."

"오늘은 됐어. 이 집에 남아 봤자 딱히 할 일도 없는 데다, 오늘은 평일이잖아."

5월 하순, 월요일 밤. 오후 열 시가 훌쩍 지난 심야.

이날은 『blessing software』 세컨드 프로젝트 『시원찮은 그녀(히로인)를 위한 육성방법(가제)』의 (한 루트 분량의) 시나리오가 (얼추) 완성된, 기념비적인 날이다.

"아, 기다려, 카…… 메구미. 역까지 데려다줄게."

"아~, 됐어. 으음, 『친구들 사이에 이상한 소문이라도 퍼지면 부끄럽거든』 맞지?"

"아까 우호도 왕창 올렸는데 왜 태도가 요 모양 요 꼴인 거야?!"

그리고 그런 위업을 달성한 시나리오 라이터, 아키 토모야는 자기 집 현관에서 방금 호칭이 『카토』에서 『메구미』로 스텝 업한 카토 메구미가 이렇게 냉랭한 반응을 보이자, 또 원망에 찬 고함을 질렀다.

“그럼 갈게.”

“……진짜로 조심해서 가.”

의도적인 건지 무의식적인 건지는 모르겠지만, 평소와 다름없는 태도로 토모야를 대하던 메구미는 현관을 나서더니 그대로 걸음을 옮겼다.

토모야의 집에서 가장 가까운 역에 가기 위해서는 급경사인 언덕을 내려간 후, 국도로 나가서 몇 분 동안 걸어야 한다.

메구미는 우선 그 언덕까지 가더니, 왼쪽으로 꺾어서 그대로 길을 내려가다…….

“아…….”

그리고 의도적인 행동인지 무의식적인 행동인지는 모르겠지만, 몸을 180도 회전시키더니 반대편에 존재하는 오르막을 올려다보았다.

아니, 정확하게 말하자면 그 오르막 끝에 존재하는 호화로운 저택을 쳐다보았다.

『내가, 에리리에게 사과할게……. 직접, 만나서 말이야.』

그 저택에는 메구미가 화해하겠다고 토모야와 약속한 상

대가 살고 있다.

3월 초, 가볍게…… 아니, 심각하게 엇갈린 후, 말도 하지 않게 된 옛 절친, 사와무라 스펜서 에리리의 집인 것이다.

"……약속은 지켜야겠지."

메구미는 스마트폰을 꺼내더니 익숙한 손놀림으로 조작했다. 그러자 화면 안에 수많은 문자가 생겨났다.

물론 걸으면서 스마트폰을 조작하지는 않았다.

예전에는 아무렇지도 않게 그런 짓을 했다. 하지만 그런 룰 위반을 했다 하면 주의를 주는 이상한 오타쿠가 주위를 배회하게 된 후부터, 메구미도 그런 불합리한 설교를 듣는 게 짜증 나서 보는 사람이 없을 때도 매너를 철저하게 지키는 소시민이 되었다.

교통 법규, 줄 서기, 시간 엄수에 관한 매너, 그리고 각 게임의 나이 제한까지도 말이다…….

카스미가오카 우타하

정말 이상한 데서 윤리적인…… 하고 말하면 어디 사는 선배와 비슷해지니, 메구미는 어디까지나 자연스럽게 무시하는 느낌으로, 그 짜증 나는 안경……을 쓰지 않게 되어 겉모습을 어떤 식으로 표현하면 좋을지 감이 오지 않는 동안의 남자애를 떠올렸다.

그리고 뇌의 리소스를 그런 쓸데없는 일에 할애한 사이에도, 메구미의 손가락은 막힘없이 메시지를 작성하고 있었다.

"으, 음……?"

하지만 송신 버튼을 누를 차례가 되자…….

지금까지와는 비교도 되지 않을 만큼 간단한 그 동작을 취하지 못한 채, 그대로 딱딱하게 굳어버렸다.

From: 『카토 메구미』 〈megumi-kato@○○○.○○〉

To: 『에리리』 〈e-lily@○○○.○○〉

Subject: 오래간만.

안녕, 메구미야.

얼마 전에 신작 게임의 그림을 봤어.

그다지 오타쿠스러운, 아니, 프로 같은 감상을 늘어놓지는 못하겠지만,

정말 엄청났어. 너무 엄청나서 머리가 잘 돌아가지 않을 정도였다니깐.

으음, 그리고, 토모야 군한테서 들었는데…….

에리리는 나와 이야기를 나누고 싶다면서?

실은 나도 에리리와 이야기를 나누고 싶어. 정확하게 말하자면 겨우 결심이 섰어.

그러니까 만나서 잔뜩 이야기하자.

지금까지의 일이나, 앞으로의 일 같은 거 말이야.

이번 주 주말에 시간 돼?

토요일이든, 일요일이든, 언제든 괜찮아.

답장, 기다릴게.

"……으음~."

자신의 거의 무의식적으로 작성한 문장을 본 메구미는 그 내용에 존재하는 위화감을 느끼고 인상을 썼다.

『너무 엄청나서 머리가 잘 돌아가지 않을 정도였다니깐』……거짓말은 아니지만, 진짜 감정을 숨기고 긍정적으로만 적은 게 비겁하게 느껴졌다.

『토모야 군』…… 이 표현을 지금 썼다간 겨우 정리되어 가고 있는 상황을 에리리가 말짱 꽝으로 만들어버릴지도 모른다.

『겨우 결심이 섰어』…… 이렇게 시간이 걸린 게 전부 상대방 탓이라고 말하는 것 같아서 거슬렸다.

『잔뜩 이야기하자』나 『답장, 기다릴게』…… 두 달이나 방치해 두고 이제 와서 너무 친한 척하는 것 같지 않을까?

『이야기를 나누고 싶어요』라거나 『답장, 기다리고 있을게요』 같은 식으로 존댓말을 쓰는 편이 좋지 않을까?

"으음……."

평소 같으면 고민하지도 않을 사소한 것들이 마음에 걸린 메구미는 그대로 보이지 않는 벽에 부딪히고 말았다.

에리리 앞에서 꼴사납게 울고, 말도 안 되는 이유로 따지며, 일방적으로 절교를 선언한 후 멋대로 돌아가버린 그날이 꽤나 멀게 느껴지면서도…….

지금 떠올려보면 그때 했던 말 하나하나와, 그때 품었던 감정 하나하나가 세세하게 떠오르는 것은 대체 어째서일까.

메구미는 지금도 자신이 잘못했다고는 생각하지 않았다.

하지만 그날부터 쭉 마음속에 품어 왔던 에리리를 향한 꺼림칙한 감정은 곧 폭발할 것처럼 부풀어 있었다.

……그래서 계기가 될 만한 말 한마디가 생각나지 않았다.

그리고 메구미의 마음속에서 겁쟁이 같은 면이 고개를 치켜들었다.

차라리, 한 번 더 중재자(토모야)의 힘을 빌린다면…….

"아냐, 그건 안 돼."

하지만 그런 짓을 해버린다면 아까 그런 선언을 한 의미가 없다.

분명 메구미는 자신의 의지로, 자신의 입을 통해, 자신이 직접 사과…… 아니, 화해를 하기로 맹세했던 것이다.

그런 식으로 수십 분 동안 고민하며 글을 썼다 지우고, 썼다 지우고를 반복하던 메구미는…….

"……아."

뭔가를 떠올린 듯이 스마트폰 화면을 응시하더니, 결국 결의에 찬 표정을 지으며 고개를 끄덕였다.

그리고 메시지 작성을 멈춘 그녀는 주소록을 펼쳤다.

전화로, 목소리로, 그녀가 방금 한 결심을 전하기 위해서…….

"아, 미안한데 전철 막차를 놓쳐서 그러는데 재워주면 안 될까? ……토모야 군."

제9.5화

그런데 표지에 나온 여자애는 대체 누구인가요?

"아~, 전부 다 팔린 건가요."

"정말 죄송해요! 저, 저기, 이번에는 러프 카피 책이라서 양이 적었거든요……."

6월 첫째 주 일요일 오후.

밖에서 내리고 있는 비가 실내에 습기와 더위를 전하고 있는 이곳은 바로 이케부쿠로 선샤인시티의 홀이다.

"그랬구나……. 그럼 견본을 좀 봐도 될까요?"

"정말 죄송합니다……."

당일 일정으로 개최된 전체 장르 동인지 즉매회 회장에서, 여자애의 기어드는 목소리가 주위의 소음에 파묻혔다.

벽 근처에 배치된 그 공간에는 POP도, 포스터도, 판매 목록도 없었다. 그저 흰색 테이블보 위에는 스테이플러로 고정한 얇은 카피 책 한 권만이 놓여 있었다. 그 책의 표지에는 매직으로 『견본』이라고 적혀 있었다.

그런 한산한 테이블 앞에서 이 부스를 찾아준 손님 한 명 한 명에게 몇 번이나 고개를 숙이고 있는 이는 둘로 나눠 땋은 머리카락을 두 어깨에 늘어뜨린 중고교생으로 보이는 소녀였다.

하지만 그 머리카락 끝에 존재하는 가슴 언저리의 풍만함만큼은 전혀 중학생 같아 보이지 않았다.

……아무튼, 얼굴과 보디가 약간 언밸런스한 글래머 동안 소녀는 거의 한 달(프롤로그) 만에 등장한 하시마 이즈미다.

참고로 이 장소에서는 서클 『팬시 웨이브』 대표라고 소개하는 편이 나을지도 모른다.

"아~, 역시 오리지널 캐릭터도 귀여워. ……완전 실수했네. 역시 여기에 먼저 줄 설 걸 그랬어."

그런 이즈미와 책상을 사이에 두고 마주 서서 카피 책을 훑어보고 있는 사람은 대학생 혹은 사회인 정도로 보이는 연상 여성이었다.

"……저기, 항상 제 부스를 찾아주시는 분이죠?"

"아, 기억해주셨군요!"

"물론이죠……."

그녀는 갓 동인 데뷔한 이즈미가 『리틀 러브 랩소디』 동인지를 50권 만들어서 30부도 팔지 못하던 시절부터 찾아준 소중한 단골손님이었다.

"흐음~, 기뻐요. 하시마 양은 『rouge en rouge』의 게임 원화를 담당하면서 엄청 출세했으니까 리틀랩 동인지 내던 시절을 흑역사 취급할 줄 알았거든요."

"아, 그렇지 않아요……. 하지만 따로 책을 챙겨 두지 않아서 죄송해요. 으음, 실은 제 몫도 이제 없어요……."

그녀의 말대로 『rouge en rouge의 게임 원화가로 출세한』 이즈미의 서클은 행사 시작 전부터 분위기가 좋지 않았다.

준비회 측이 지금까지 별다른 실적이 없었던 『팬시 웨이브』를 벽(거물 대접) 서클로 삼은 것을 통해 이 사태를 예측했어야 했다.

하지만 이즈미가 아침 일곱 시부터 편의점에서 필사적으로 복사를 한 후 아홉 시 반에 행사장에 도착해보니, 그곳에는 50부의 몇 배나 되는 행렬 『같은 것』이 형성되어 있었다. 결국 그녀의 얼굴은 새파랗게 질리고 말았다.

준비회 스태프가 그 인파를 다른 부스 쪽으로 돌렸고, 이즈미의 오빠인 이오리가 여러모로 손을 쓰는 가운데, 이즈미는 너무 송구한 마음에 고개조차 들지 못한 채 열심히 스테이플러질만 했고…….

이벤트가 시작되고 10분 만에 준비해 간 책이 매진되자, 이 부스는 책을 사지 못한 대량의 손님들의 입에서 터져 나오는 원망 어린 목소리로 가득 찼다.

하지만 서클과 일반 참가자, 양쪽이 다 불행해진 이 이벤트 참가를 결정한 사람은 이즈미 자신이 아니었다…….

“저기, 이 러프는…… 다음 작품에 나올 캐릭터인가요?”

“아, 예. 또 오리지널 게임의 캐릭터 디자인을 맡을 예정이에요. ……아, 이번에는 『rouge en rouge』와는 다른 서클이지만요.”

그렇다. 이즈미가 이번에 준비한 책은 사실 현재 한창 개발 중인 『blessing software』 신작 『시원찮은 히로인을 위한 육성방법(가제)』의 준비호라고 할 수 있는 내용인 것이다.

히로인 캐릭터 원안과 표정 패턴이 시나리오의 방향성과는 상관없이 모에 방향으로 완전히 폭주『했을 터인』 걸작이다.

“잘 봤어요……. 게임이 발매되면 꼭 살게요!”

“아, 예. 잘 부탁드려요!”

“그리고 리틀랩 만화도 기대하고 있을게요.”

“그건…… 예. 언젠가 시간이 생기면 꼭 낼게요!”

“고마워요……. 그럼 다음 작품도 열심히 만드세요!”

“정말 감사합니다!”

멀어져 가는 단골의 등을 향해 10초 넘게 고개를 숙인 이즈미는, 접이식 의자의 등받이에 몸을 맡기면서 땅이 꺼져라 한숨을 내쉬었다.

이벤트가 시작된 후부터 죽어라 사과만 해 댔던 그녀에게 있어, 방금 그 순수한 감상과 격려는 사막을 헤매다 겨우 발견한 오아시스처럼 그녀의 마음에 깊숙이 스며들었다.

“그런데…… 이런다고 오빠 말처럼 효과가 있을까?”

친오빠이자 서클 『blessing software』의 새 프로듀서이기도 한 하시마 이오리에게 받은 지시를 떠올린 이즈미는 지금까지 유저들이 보였던 반응을 다시 떠올려보았다.

"이대로 가다간 수확을 얻는 건 고사하고, 스트레스만 쌓일 것 같은데……."

이즈미가 미묘한 표정을 지은 채 생각에 잠겨 있을 때…….

"아, 글쎄 오빠는 지금 다른 부스에 인사하러……."

"거짓말하지 마! 당신, 10분 전에도, 30분 전에도, 한 시간 전에도 같은 말만 했잖아!"

"그래요~. 그렇고말고요~. 한 시간 전부터 돌아오지를 않는단 말이에요~."

"뭐가 이렇게 오래 걸리는 거야……! 대체 어느 여자네 하우스(서클)에 틀어박혀 있는 건데?!"

"히이이이익! 죄송해요! 죄송해요!"

아까까지의 자신과 마찬가지로 책상 너머에 있는 일반 참가자를 향해 머리를 마구 숙여 대고 있는 오른쪽 옆 서클의 여성이 우연히 눈에 들어왔다.

이즈미보다 짧은 머리카락을 이즈미와 마찬가지로 둘로 나눠 묶었으며, 겉보기에는 고교생이나 대학생 정도로 보였다.

화사하지만, 오타쿠가 좋아할 만한 화사함과는 조금 다

른, 10대 취향 패션 잡지에서 튀어나온 듯한 외모를 지닌 여성이었다. 그녀는 현재 딱하기 그지없는(겉모습도, 언동도) 여성에게 인정사정없는 추궁을 당하며, 그 화사한 몸을 움츠린 채 하염없이 고개를 숙이고 있었다.

아까까지의 자신과 똑같지만, 아까까지의 자신보다 훨씬 안되어 보이는 그녀를 쳐다보던 이즈미는『이 세상에는 나보다 더 힘든 사람도 있구나』하고 생각했다. 그리고 그와 동시에 자신의 마음이 차분해지는 것을 느꼈다.

……물론 그게 무례하기 짝이 없는 짓이라는 사실은 알지만 말이다.

"하아아아아~."

이윽고 추궁하느라 지친 듯한 그 일반 참가자가 날카롭게 한마디 쏘아붙인 후 돌아갔다. 그리고 그때까지 하염없이 고개를 숙여 대던 여성은 천천히 고개를 들어서 주위를 둘러보더니, 의자에 기대앉으면서 땅이 꺼져라 한숨을 내쉬었다.

"고, 고생 많으셨어요~."

이즈미는 몇 분 전의 자신처럼 지칠 대로 지친 그녀에게 위로의 말을 건넸다.

"아~, 미안해. 꼴사나운 모습을 보였네."

"아뇨. 그건 피장파장이잖아요."

평소의 이즈미는 초면인 상대에게 말을 걸지 못하는 집

안 호랑이…… 아니, 가족 이외에는 신사적…… 아니, 숙녀적인 소녀다.

하지만 이 순간 마음속에서 샘솟는 동정심이랄까, 우월감…… 아니, 다양한 요인에서 비롯된 자애의 마음이 솟구치고 있었기에, 자연스럽게 이웃 부스의 여성을 위로한 것이다.

"뭐, 나는 가족이 친 사고의 뒤치다꺼리를 어쩔 수 없이 하고 있는 상황이지만 말이야."

"오빠, 때문인가요?"

"아, 들렸어? 응. 우리 오빠…… 그러니까 이 서클의 대표인데, 내가 책을 사서 돌아오자마자, 애인을 내버려 두고 혼자서 딴 부스에 인사하러 갔어."

"아, 저도 비슷한 처지예요. 오빠가 여러모로 손을 써 둬야 한다면서 뒷일을 저한테 맡기더니 멋대로 사라져버렸거든요."

"그렇구나. 너나 나나 못난 오빠를 뒀네. 정말 고생 많지?"

"아하하……."

이즈미가 낸 그 약간의 용기는 그녀보다 훨씬 붙임성이 좋고 커뮤니케이션 능력이 뛰어난 상대방의 반응 덕분에 올바르게 보답받았다.

무엇보다 약간의 공통점(못난 오빠를 뒀다) 덕분에 친밀감을 느낀 것 같았다.

※ ※ ※

"우와아! 이 사람, 컬러를 엄청 잘 쓰네요!"

"그렇지? 페이지는 얼마 안 되지만 매번 풀 컬러야. 하지만 매번 이벤트가 시작되고 한 시간도 안 되어서 다 팔리기 때문에 입수하기 힘들다니깐~."

서로의 불행한 처지 덕분에 의기투합한 두 사람은 옆 서클의 도우미가 사 온 동인지를 펼쳐보면서 보물 품평회를 시작했다.

"이, 이 책은…… 와아, 특전에 실린 그림이 정말 귀여워요~!"

"그렇지? 이 사람은 러프로 만든 특전 책에서 진가를 발휘하는 타입이야. 그래서 특전이 없는 서점 위탁판을 살 수가 없다니깐~."

뭐, 이렇게 지나칠 정도로 흥분하고 있는 것은 두 사람만의 세계를 만들어서 「이미 매진된 건가요……」라든가, 「서점 위탁은 안 하나요?」라든가, 「손님에게 충분히 전달될 수 있도록 준비하는 게 서클의 의무잖아」 같은 일반 참가자들의 질책이나 질문, 시비를 피하자는 목적도 포함되어 있었다…….

"오늘은 작전이 성공해서 다행이야~. 역시 가장 먼저 어느 서클을 노릴 것인지가 전술적으로 가장 어려운 포인트지만, 이것만은 당일의 반입량과 배포물의 종류에 따라 바뀌거든."

"매, 매번 서클을 도는 순서가 달라지나요?"

"당연하지! 예를 들어 항상 반입량이 많은 거대 서클이 이번에는 카피 책 수십 권밖에 준비하지 못했다면 어떻게 할 거야? 그럼 거기는 전쟁터이자 최전선이란 말이야!"

"죄송해요! 죄송해요! 죄송해요!"

이즈미는 그런 느긋한 대화를 나누면서도 상처 입었지만, 그래도 그녀는 타인의 보물을 구경한다는, 아까까지와는 비교도 되지 않을 만큼 행복한 시간을 보내고 있었다.

"그럼 이벤트가 시작되기 전에 홀 안을 둘러보는 건가요? 부스 설치는요?"

"아~, 그건 오빠가……."

"그리고 개장 직후에는 책을 사러 돌아다니는 거죠? 그럼 이 부스는 누가 운영하나요?"

"아~, 그것도 오빠가……."

"그럼 당신은 대체 뭘 하나요?"

"아~, 내가 돌아왔을 때 책이 다 팔렸다면, 그 다음부터는 이렇게 부스나 지키고 있어."

"그게 다인가요?"

"아~, 그게…… 응."

"아, 혹시 오빠에게 부탁받은 책도 사 온다거나……."

"아~, 오빠는 동인지에 관심이 없거든. 그래서 항상 내 것만……."

"그래서야 인맥으로 미리 행사장에 들어와서 자기 책만

사 가는 악덕…… 아, 아무것도 아니에요! 죄송해요!"

"아~, 으음…… 뭐~ 남들 눈에는 그렇게 보일 거야~. 아하하……. 미안해."

"아, 아뇨. 딱히, 그렇지도 않지도 않을까 하고 생각할 수도 있지 않을지도 모를 가능성이 존재하지 않는 것은 아니라고나 할까…… 죄송해요."

그런 행복한 시간도 이즈미의 쓸데없는 한마디 때문에 끝나버리고 말았다…….

하지만 서클 대표가 책을 만들어서 부스를 준비하고 판매까지 하는 사이, 도우미가 행사장을 둘러보면서 효율적으로 동인지를 산 다음에 그 보물을 독차지하는 것이다. 일반적으로 생각하자면 문제가 차고 넘칠 정도로 많았다.

"뭐~, 실은 남에게 말할 수 없는 사정이 있다고나 할까…… 아, 물론 에로 동인지 같은 건 아니지만……."

"괘, 괜찮아요……. 저도 이번만큼은 그런 소리를 할 자격이 없거든요……."

"어, 너 혹시 나도 모르는 이벤트 한정 도서를 사 둔 거야? 그 보물, 대체 어디에 숨겨 뒀어?!"

"아, 아뇨, 그런 의미가 아니라……."

풀이 죽은 줄 알았던 그녀가 갑자기 흥분을 감추지 못하자, 이즈미는 약간 당혹스러워하면서도 오늘 들어 처음으로 본심을 털어놓았다.

"사실 이번 책의 그림은 독자 여러분에게 보여드리고 싶어서 그린 게 아니에요……."

※ ※ ※

"……거짓말, 이지?"

"아뇨, 진짜예요. 참가 사실도 이틀 전에 알았거든요……."

이즈미는 책상 위에 유일하게 남아 있는 견본을 옆 부스의 여성에게 내밀더니, 약간 자학적인 목소리로 이야기를 시작했다.

이즈미 본인이 전혀 납득을 못하면서도 이번에 서클 참가를 하게 된 경위를 말이다.

"그래서 준비를 전혀 못했어요……. 지금까지 그린 러프를 모아서 어제 하루 동안 카피 책용 원고를 만든 다음, 오늘 아침에 편의점에서 복사한 후에……."

이즈미가 그런 뜻밖의 고백을 하자, 오빠를 도우러 왔다는 옆 부스의 여성은 진지한 표정으로 『팬시 웨이브』의 견본을 훑어보기 시작했다.

"그래서 저는 이번 책에 전혀 납득을 못했어요. 실은 이런 책은 돈 받고 팔고 싶지도 않아요."

그리고 겨우 여덟 페이지밖에 안 되는 종이 다발을 순식간에 다 읽더니, 다시 표지부터 한 페이지씩, 핥듯이 천천히 읽기 시작했고…….

"그런데도 제가 이번 이벤트에 참가한 이유는……."

"우와아아아아~! 사고 쳤어어어어어~!"

"예엣?!"

곧, 머리를 감싸 쥐면서 절규를 토했다.

"이게 뭐야? 오늘 이벤트에 이런 책이 나왔었어? 그것도 바로 옆 부스 서클에서?!"

"으, 으음, 저기……?"

"작전 성공 좋아하네! 나는 어디가 최전선인지도 전혀 눈치 못 챈 얼간이 사령관이잖아! 말도 안 돼~, 이거, 진짜로 매진된 거야?!"

"아, 예. 저기, 이제 제 몫도 없어요……."

"사, 사고 쳤어~. 통한의 실수야. 등잔 밑이 어두웠어……. 오늘 내가 산 그 어떤 책의 그림보다 이게 귀여워! 귀엽다구! 귀엽단 말이야아아아~!"

"아, 저기, 으음, 그러니까…… 고마워요."

참고로 그녀가 이런 리액션을 취한 이유는, 이즈미가 만든 책에 나온 캐릭터의 조형에 완전히 빠졌기 때문인 것 같았다.

"하, 하시마라면…… 혹시 하시마 이즈미? 『영원과 찰나의

에방질』의 원화가?!"

"아, 플레이하셨나요?"

"우와~, 우와~, 우와~, 진짜네에에에~! 『rouge en rouge』의 하시마 이즈미구나아아아~."

"아, 저기, 『rouge en rouge』에는 그때 한 번만 참가…… 우와와와와왓."

그리고 이즈미가 딱히 숨기지도 않았던 『정체』를 밝히자, 옆 부스 여성의 흥분은 정점에 도달했다.

그녀는 너무 흥분한 나머지 이즈미의 손을 잡고 위아래로 마구 흔들어 댔다.

그것은 이즈미, 그리고 그녀의 스승(토모야)이 취할 법한 태도였다.

"거짓말, 바로 옆에 있었다니…… 왜 서클 컷[#3]을 보고 눈치채지 못한 걸까? 평소 같으면 절대 놓치지 않았을 텐데~."

"아, 그건…… 죄송해요."

실은 참가한다는 사실 자체를 직전까지 알지 못했기 때문에 서클 컷을 직접 그리지도 못했다.

"나, 나야말로 너무 흥분해서 미안해. 나, 그 작품의 캐릭터를 정말 좋아하거든……. 게임뿐만 아니라 특전인 설정 자료집도 가지고 있어."

"저, 정말요……? 아, 저기, 정말 고마워요."

그 말의 진위 여부를 확인하는 것 자체가 바보 같은 짓으

#3 서클 컷 각 이벤트의 카탈로그에 실리는, 각 서클의 대표하는 그림.

로 느껴질 만큼 흥분한 그녀를 본 이즈미는, 무심코 자연스러운 미소와 진심에서 우러난 감사 인사를 건넸다.

"이야, 이 책을 납득하지 못한다는 거야? 그런 고행 중인 스님 같은 소리 하지 마. 이게 꽝이라면 내 책…… 아, 아무튼……."

상대방도 방금까지 지나친 반응을 보인 게 부끄러운지 말아 쥐고 있던 손을 펴더니, 스스로를 진정시키려는 것처럼 헛기침을 하면서 숨을 골랐다.

"그런데 왜 이렇게 귀여운 그림이 실린 책을 납득하지 못하는 거야?"

그리고 다시 이즈미를 향해 고개를 돌린 그녀는 차분하면서도 진지한 표정을 지으며 이즈미의 말에 귀를 기울였다.

"슬럼프……?"

"저는 전혀 자각 못했지만요……."

아까 전까지만 해도 둘만의 세계에 틀어박혀 함께 기뻐하던 두 사람은…….

지금도, 둘만의 세계에 틀어박혀 진지하게 대화를 나누고 있었다.

"저 자신은 전혀 눈치채지 못했지만, 저는 요즘 들어 어느 작가의 영향을 받고 만 것 같아요."

계기는 골든위크 때 본『필즈 크로니클 20주년 기념 이벤트』다.

그때 대대적으로 공개된, 카시와기 에리가 그린 『필즈 크로니클 XⅢ』의 키 비주얼…….

그 정교하면서도 섬세하며, 예술적일 뿐만 아니라 신성함마저 감도는 그 한 장의 그림을 본 순간, 이즈미의 내면에 존재하는 작풍이 멋대로 변화하기 시작했다.

하지만 그것은 말 그대로 변화이며, 진화라고 하기에는 졸속하기 그지없었다.

"으음~, 하지만 그건 일상다반사 아냐? 감동적인 무언가를 보거나 느꼈을 때, 그것을 받아들이려고 하는 것은 본능 같은 거라고 생각해."

"예? ……혹시 당신도 그림을 그리나요?"

"윽?! 아, 으음~ 저기, 뭐, 그게, 그러니까…… 안 그려."

옆 부스의 도우미가 아마추어면서도 적절한 의견을 제시하자, 이즈미는 살짝 놀라면서 감명을 받았지만…….

"하지만 그 사람의 그림만큼은 받아들여서는 안 돼요. 다가가선 안 된다고요."

……그러면서도 그것만큼은 양보할 수 없다는 듯이 자신의 솔직한 심정을 밝혔다.

왜냐면, 이즈미는…….

"즉, 하시마 양은……."

"예?"

"그 사람에게, 이기고 싶은 거구나."

"아……."

"그래서 영향을 받으면 안 되는 거야……. 영향을 받았다는 사실을 인정한다면, 그건 자신이 그 사람보다 못하다는 걸 인정하는 거잖아."

"……으음. 당신, 진짜로 그림을 그린 적이 없는 건가요?"

"그딴 건 아무래도 상관없잖아."

이즈미에게 있어서는 아무래도 상관없는 일이 아니지만 말이다.

하지만 이즈미는 그 말의 진위를 확인하는 것보다 먼저 알고 싶은 게 있었다.

"그, 그럼…… 당신은 어떻게 하면 좋을 거라고 생각하죠?"

그것은 자칭 아마추어면서도 날카롭기 그지없는 그녀가 제시하는 대답이었다.

"그 대답을 찾기 위해, 이 이벤트에 참가한 거야?"

"오빠가, 남들의…… 가능한 한 많은 유저들의 목소리를 들어보라고 했어요."

그래서 겨우 하루 만에 동인지를 만들었다.

당초의 기획대로 모에 느낌이 물씬 나는 그림이라고 할 수 있을 것인가.

『엄청난 그림』이 아니라, 『엄청나게 귀여운 그림』이라고 할 수 있을 것인가.

시나리오 라이터가 폭주한 바람에 시리어스해진 이 작품을, 자신의 그림으로 『위장』할 수 있을 것인가…….

"그러니 이 책은 제 답안지예요."

"독자가 채점자야?"

"제가 저 자신을 잃지 않았는지, 삼켜지지 않았는지, 강렬한지, 다른 사람들이 제 그림을 귀엽다고 말해줄지, 모에하다고 말해줄지…… 그저 예쁘기만 하다고 말하지는 않을지……."

"…………."

옆 서클의 『평범한 도우미』인 그녀는 이즈미의 입에서 폭포수처럼 흘러나온 말들을, 눈을 감은 채 묵묵히 듣고 있었다.

"제 그림…… 어떤, 가요?"

"저기, 하시마 양……. 내가 아까부터 이야기했지?"

하지만 그 침묵을 더는 견디지 못한 이즈미가 재촉하자, 그녀는 그제야 눈을 뜨면서 이즈미가 갈구하는 말을 해줬다.

"이 책의 그림은 정말 귀여워. 오늘 본 그림 중에서 넘버원이야."

"제대로 촌스러운가요?

너무 세련되지는 않나요?

결점은 존재하나요?

반짝이고 있나요?

그리고…… 이건 분명, 저만의 그림, 인가요?"

"응. 촌스러워. 세련됐다는 표현과는 거리가 멀어. 완벽하지 않아. 그리고 완전 반짝거려."

이즈미는 분위기 파악을 못하는 아이처럼 초면인 상대에게 그렇게 질문을 연달아 던졌지만…….

그래도 옆에 있는 여성은 화내지 않고 성실하게 대답했다.

"……하지만 『당신만의 그림』이라는 건 이 책에 존재하지 않아."

그리고 성실하기에, 이즈미가 갈구하는 말만 입에 담지는 않았다.

"어째서죠……?"

"그야…… 이 그림은 누군가의 영향을 받은 게 분명하거든."

"그, 그럴 리가 없어요. 저는 열심히, 그 사람(카시와기 에리)의 색깔을 없애려고……."

"아~, 하시마 양에게 영향을 준 건 그 사람이 아니야."

"예?"

"이 기획과 이 이야기, 그리고, 이 이야기를 만든 사람……."

그녀가 가리킨 곳에는 『시원찮은 히로인을 위한 육성방법

(가제) 캐릭터 원안』이라는 문장이 이즈미의 필체로 적혀 있었다.

"으음, 내 이야기를 좀 해도 돼?"

"예……?"

"나도 말이야. 이야기에 그림을 더하는 일을 하고 있어."

그녀는 아까 자기 입으로 「그림을 그려본 적이 없다」고 말했으면서, 그런 말을 입에 담았다.

"하지만 처음 이 일을 시작했을 때는 심각했어……. 이야기를 만든 사람도, 그 사람과 만나게 해준 사람도 「이건 귀엽기만 한 그림이다」라면서 내 그림을 부정했어."

"어, 그게 부정당한 건가요?"

"……좀 더 자세하게 설명하자면 『문장과 마주하지 않는, 스토리와의 상승효과를 자아내지 않는, 그저 한 장의 그림』이래."

"아……."

그러니 지금 그녀가 이야기하는 것은 어디까지나 만약의 이야기다.

예를 들자면, 다른 세계선의 이야기인 것이다.

"솔직히 말해, 그때 나는 뭐가 잘못된 건지 전혀 감이 오지 않았어……. 그래서 다양한 사람들과 이야기해보고, 상담을 받아보며, 스스로도 필사적으로 생각해봤지……."

"그, 그럼…… 답은 찾아냈나요?"

"응. 찾아냈어. ……누가 가르쳐줬는지, 직접 찾아냈는지, 이제는 생각나지 않지만 말이야."

"그, 그 답은 뭔가요……?"

"……무슨 소리야. 너는 이미 그 답을 가지고 있잖아."

"예……?"

"이야기에 영향을 받고, 문장에 함께 나아가며, 서로의 매력을 몇 배로 끌어올리는 힘……."

그리고, 다음으로 그녀가 가리킨 것은 캐릭터 설정에 첨부되어 있는 대사 샘플이었다.

『무슨 일이 있어도, 어울려주는 거다……? 앞으로도, 평생 말이야.』

만면에 미소를 짓고 있는 금발 히로인의 옆에, 그 샘플 대사가 적혀 있었다.

"이 표정은 이야기의 한 장면을 그대로 나타내고 있어. 그래서 엄청 귀여운 거야. 눈이 번쩍 뜨일 정도로 말이야."

그녀는 자신이 한 말이 거짓이 아니라는 걸 증명하듯, 황홀한 표정을 지으면서 이즈미의 일러스트를 핥듯이 쳐다보았다.

"네 그림은 정말 대단해……. 이 대사를 몇 배는 더 매력적으로 만들 정도로 엄청 귀여운 표정이야."

"제 그림이…… 이 대사에 영향을 받았다는 건가요?"

"안 그러면 이렇게 절묘한 표정을 그릴 수 있을 리가 없어. 내가 울먹거릴 정도로 감동할 리가 없단 말이야."

그리고 그녀는 그 말이 거짓말이 아니라는 사실을 증명하듯, 이즈미의 책을 가슴에 꼭 끌어안았다.

"어디를 고칠 필요가 있는데? 홀로 서 봤자 아무 의미도 없잖아? 너는 이미 이렇게 엄청난 그림을 그릴 수 있는걸."

그렇다. 이즈미를 칭찬하고 또 칭찬한 옆 부스 도우미의 표정에는, 사랑스러운 그림을 만나고 느끼는 기쁨과, 마음에 드는 일러스트를 찾아낸 데서 우러난 만족감…….

그리고, 약간의 질투와 분한 마음이 존재했다.

※ ※ ※

"아무래도 답을 찾아낸 것 같구나, 이즈미."

"응~?"

이벤트가 끝난 후…….

열차의 빈자리에 앉아서 동인지를 읽고 있던 이즈미에게, 옆에 있던 이가 말을 걸었다.

이즈미를 서클 부스에 내버려 둔 후, 옆 서클의 대표와 마찬가지로 다른 곳을 싸돌아다니던 이오리는 옆 서클의 대표와 마찬가지로 이벤트 종료 직전에 부스에 돌아왔다. 그리고 재빨리 철수 작업을 시작하더니, 지금은 이렇게 이즈미의 옆자리에 앉아 있었다.

"돌아와 보니 꽤나 개운한 표정을 짓고 있던데…… 다양한 사람들과 이야기를 나눠봤어?"

"아, 응."

"그럼 자신이 나아갈 방향은 정했고?"

"……어찌어찌 말이야."

"그래? 그거 다행이다."

오늘 이벤트에 참가한다는 이야기를 처음 들었을 때, 이즈미는 오빠인 이오리가 무슨 생각을 하고 있는지 짐작조차 되지 않았다.

아니, 분명 오빠는 「유저의 목소리를 듣고 자신의 방향성을 정해라」라는 명확한 지시를 이즈미에게 내렸다.

하지만 상대는 바로 하시마 이오리다. 그 말에 어느 정도의 진실이 담겨 있을지는 아무도 알 수 없다.

그는 뭔가를 노리며 손을 써 둔 것일까. 아니면 아무 생각도 없는 것일까.

그리고 그는 결과적으로 목적을 달성했을까. 아니면 헛수고만 한 것일까.

"다행인지 아닌지는 알 수 없어. 오빠가 기대했던 것과는 다른 방향일지도 몰라."

이즈미가 『옆 서클의 도우미』에게 들은 『아무것도 바꿀 필요가 없다』는 결론이, 오빠가 바라던 것일까…….

"괜찮아. ……이즈미가 자신의 의지로 각오를 다지는 게 중요하거든."

"……역시 그랬구나."

하지만 명확한 정답도, 명확한 오답도 존재하지 않았다.

이즈미가 갈구했던 것에는 별다른 의미가 없었던 것이다.

아니, 그게 아니라…….

이즈미가 필사적으로 시행착오를 한 끝에 자신 나름의 결론에 도달해서, 앞으로 나아갈 힘을 얻기를 오빠는 원했던 것 같았다.

하지만 이즈미는 심술궂은 수수께끼를 낸 오빠에게 오늘만큼은 감사할 수밖에 없었다.

그것은 자신이 오빠가 원하는 대로 성장했기 때문이 아니라…….

마음에 남을, 기억에 남을, 멋진 만남을 주선해줬기 때문이었다.

"그런데 이즈미. 아까부터 그 동인지 열심히 보고 있네."

이오리가 놀리는 듯한 어조로 그렇게 말하자, 이즈미는 고개를 들더니 책망하는 듯한 시선으로 자신의 오빠를 쳐다보았다.

“오빠, 왜 말 안 해줬어? 옆 부스의 서클이 사가노 후미오 선생님의『cutie fake』라는 걸 말이야.”

“아, 그 정도는 당연히 알고 있을 줄 알았거든. ……그리고 카탈로그만 봐도 알 수 있는 데다, 인사를 나누면 바로 알잖아?”

“개장 전에는 스테이플러질 하느라 카탈로그를 볼 시간이 없었고, 인사를 나누려고 했더니 사가노 선생님은 책을 다 팔고 자리를 비웠단 말이야!”

“뭐, 그럴까 싶어서 이벤트가 시작되기 전에 내가 인사를 나누며 책을 교환해 뒀어. 그 책, 방금 ○-BOOKS로 체크해봤더니 5천 엔에 매입해주던걸?”

“뭐, 그 점에 대해서는…… 와아~.”

페이지를 넘길 때마다 각양각색의 미소녀가 자신의 눈동자로 뛰어 들어오자, 그녀는 탄성을 지를 수밖에 없었다.

이즈미에게 있어서 오늘 이 행사장에 존재했던 책 중에 넘버원은 이 책이 틀림없었다.

……뭐, 비교 대상이라고는 자신이 만든 책뿐이지만 말이다.

“역시 최근의 급성장 루키다운걸. 사가노 후미오…… 내가『rouge en rouge』에 아직 있었다면 절대 내버려 두지 않았을 거야.”

“그런 짓을 했다간 카스미가오카 선배한테 살해당할걸?”

"에이, 카스미 우타코가 아카네 씨에게 스카우트당해서 서클을 관뒀으니, 그런 소리를 할 자격이……."

"오빠!"

사가노 후미오—.

서클 『cutie fake』의 간판 일러스트레이터.

도쿄에 있는 모 대학에 다니는 대학생. 성별 : 남(『cutie fake』 HP에 올라온 정보).

얼마 전에 상업에도 진출.

영광스러운 첫 일감은 『순정 헥토파스칼』(저자 : 카스미 우타코)의 삽화.

즉, 후시카와 판타스틱 문고에서의 카스미 우타코…… 카스미가오카 우타하의 현재 파트너인 것이다.

"뭐, 오늘 본인을 만나서 이야기해본 느낌으로 볼 때 나와 캐릭터가 꽤 겹치는 것 같더라고. 그런 사람이 카스미 우타코와 손발을 맞춰 잘 해 나가고 있다는 게 믿기지 않는걸."

"아…… 응."

……그리고 사생활 면으로는 상당한 호색한이며, 항상 여러 명의 여자와 사귀기 때문에 여자들 사이에서의 다툼이 끊이지 않는다고 한다(2ㅇh 동인 게시판에 올라온 정보).

"진짜로 사람은 겉만 봐서는 알 수 없다고 하지만…… 아무리 봐도 오타쿠의 소양은 전혀 없는 그런 저속한 남자가, 그렇게 귀여움으로 가득 찬 그림을 그린다는 게 믿기지 않아.”

“성격이나 사생활은 딱히 능력과 상관없잖아?”

“뭐, 그럴지도 모르지만…….”

그런 식으로 옹호한 이즈미 또한 이오리와 동일한 위화감을 느끼고 있었다.

하지만 그것은 만난 적도 없는 『사가노 후미오라는 이름의 남자 대학생』에 관한 것이 아니라, 더욱 근본적이라고 할까, 기상천외한 가설이라고 할까…….

『「진짜」 사가노 후미오는 대체 「어느 쪽」인 걸까…….』

“후훗…….”

하지만 그것은 아무래도 상관없는 일이었다.

『옆 부스의 도우미』인 그녀의 정체가 무엇이든 간에, 그녀가 한 말이 이즈미에게 길을 제시해줬다는 것은 틀림없는 사실이니까 말이다.

“어이, 나도 『cutie fake』의 신간 좀 보자.”

“싫어. 이건 그 누구에게도 넘겨주지 않을 거야. 내가 영구 보관할 거란 말이야! 아, 그래도 토모야 선배에게는 자랑해야지~.”

“……내가 받아 온 책인데.”

“내가 그린 책과 교환해서 얻은 거잖아!”

지금쯤 그녀도 오빠가 별생각 없이 손에 넣은 이즈미의 책을 건네받았을까?

그리고 이즈미처럼 오빠에게서 그 책을 강탈하더니, 탐닉이라도 하듯 읽고 있을까?

"또, 다른 이벤트에서 만나요……."

이즈미는 열차의 창문을 통해 아마 그녀도 보고 있을 하늘을 올려다보며, 감사와 감격, 그리고 질투가 담긴 목소리로 그렇게 중얼거렸다.

제9.4.5화

1박2일간의 수복(修復)

"……."

"……."

6월 첫째 주 토요일, 오전 8시 45분.

아직 마을이 깨어나기에는 조금 이른 휴일 아침인데도 불구하고, 수많은 사람들로 북적이고 있는 이곳은 바로 도쿄역의 신칸센 개찰구다.

하지만 이렇게 소란스러운 공간 한편에는, 마치 시간이 멈추기라도 한 것처럼 미묘한 표정을 지은 채 멍하니 서 있는 두 소녀가 있었다.

"……안녕, 에리리."

"……으, 응. 안녕, 메구미."

그 두 사람은 카토 메구미와 사와무라 스펜서 에리리였다.

복장과 짐, 그리고 현재 있는 장소만 봐도 먼 곳에 가려는 느낌이 풀풀 났지만, 여행 직전의 고양감 같은 것은 전혀 느껴지지 않는 그녀들은 마치 서로를 정탐하듯 응시하고 있었다.

"으, 으음, 메구미. 저기……."

"자, 표 받아. 아직 열차가 출발하려면 멀었지만, 일단 개찰구를 통과하자."

"뭐? 아, 알았어……."

"그리고 그 가방 줘. 내가 들어줄게."

"아, 괜찮아. 전부 내 짐이잖아."

"그래도 짐이 많잖아. 저 가방 안에 든 건 이젤이지?"

"그, 그게…… 메구미가, 합숙이라고 해서……."

"딱히 사양하거나 황송해하지는 말아줬으면 좋겠는데 말이야."

"미, 미안해."

"……일단 이건 내가 들게. 자, 그럼 가자."

"으, 응……."

그리고 말문이 트인 다음부터는 에리리가 저자세랄까, 뱀과 눈이 마주친 개구리처럼 금발 트윈 테일을 흔들며 움찔움찔하는 가운데, 메구미는 뱀…… 아, 그러니까, 평소와 다름없는 태도로 에리리를 연행…… 아, 그러니까, 에스코트했다.

자초지종을 모르는 대부분의 사람이 이 모습만 봤다면, 저런 태도를 취하는 에리리한테서 위화감을 느꼈으리라.

하지만 사실 에리리가 이런 태도를 취하는 것에는 다 이유가 있다고나 할까, 피치 못할 사정이 있다고나 할까…….

※ ※ ※

"……."

"……."

"저, 저기, 메구미……."

"……응~?"

"여관비와 교통비 줄게. 얼마야?"

"합숙이 끝난 후에 다 합쳐서 정산할 테니까, 그때 줘."

"아, 알았어……."

"……날씨가 흐려졌네."

"그, 그러게."

"우리 목적지는 날씨가 화창하려나?"

"그, 그러면 좋겠네."

"응. 동감이야."

"……."

"……."

그리고, 신칸센 플랫폼으로 이동한 후에도, 두 사람 사이의 분위기는 오늘의 하늘처럼 흐릿했다.

뭐, 아무런 진전도 없는데 갑자기 화기애애한 분위기를 연출하는 것도 이상하겠지만 말이다.

"그런데, 메구미."

"응?"

"그 메일 말인데……."

"아, 미안해. 느닷없이 메일 받고 놀랐지?"

"그, 그렇지 않아. 연락받고 정말 기뻤어."

"그럼 다행이야."

"응. 기뻤던 건 사실이지만, 저기, 내용이……."

"무리한 부탁을 해서 미안해. 느닷없이 합숙을 하자고 했으니 난처했을 거야."

"그, 그렇지도 않아. 메구미가 합숙하자고 해서 정말 기뻤거든."

"그래? 그럼 그것도 다행이다."

"응. 기뻤던 건 사실이지만, 저기, 문장이……."

"……그 점에 대해 할 말이 많겠지만, 실은 나도 답을 가지고 있지 않아."

"그, 그래?"

"뭐랄까, 그런 식으로 쓸 수밖에 없었다고나 할까, 첫 문장을 도저히 정할 수가 없어서 어쩔 수 없었다고나 할까……."

"메구미……."

※ ※ ※

From: 『카토 메구미』 〈megumi-kato@○○○.○○〉

To: 『에리리』 〈e-lily@○○○.○○〉

Subject: (긴급) 합숙 연락

Date: Wed ●× May 23:15

갑작스럽게 연락을 드려 죄송하지만, 합숙을 할까 합니다.

만사 다 제쳐 두고 꼭 참가해주시기 바랍니다.

일시 : 6월▲일(토)~6월■일(일)(1박2일)

장소 : 고원(高原) 온천 ○○여관(작년 합숙 때와 같은 장소)

참가자(예정) : 사와무라 에리리, 카토 메구미

집합 : 6월▲일(토) 9시 00분 도쿄 역 나가노 신칸센 개찰구 앞

참가 여부는 전날인 금요일까지 알려주셨으면 합니다.

※ ※ ※

메구미가 그렇게 말하자, 에리리는 자신의 메일 폴더 안에 있는 메시지를 펼쳐서 읽어보았다.

……사흘 전, 최근 두 달 동안 거의 대화를 나누지 않은

옛 절친에게서 지나치게 사무적인 내용이 담긴 정체불명의 메일이 왔으니, 에리리는 이런 반응을 보일 수밖에 없을지도 모른다. 아마도, 아니, 틀림없이 말이다.

※ ※ ※

"샌드위치를 만들어 왔는데, 에리리도 먹을래?"

"고, 고마워."

열차가 출발하자, 창가 자리에 앉아 있던 메구미는 자신의 가방 안에서 샌드위치가 들어 있는 꾸러미를 꺼내서 에리리에게 내밀었다.

준비한 음식이 샌드위치라는 게 비유나 암시인 건 아닐까 같은 생각은 일단 제쳐 두기로 하고, 어젯밤에 잠을 한숨도 못 잔 메구미가 새벽 다섯 시부터 준비한 아침 식사를, 에리리는 머뭇거리면서 입에 넣었다.

"……아, 맛있다."

"그래?"

에리리의 입 안에서 달걀의 부드러운 맛과 식감이 퍼져 나갔다.

"메구미가 만든 음식은 정말 오래간만에 먹어보네."

"……."

하지만 반년 전까지만 해도 당연한 듯이 누렸던 것이었다.

그때까지만 해도 한 달에 한 번은 꼭 토모야네 집에서 주말 서클 활동이 열렸다.

에리리는 그때마다 격렬하게 화를 냈고, 우타하는 조용히 매도했으며, 미치루는 느긋하게 기타를 쳤다.

시끌벅적하기만 할 뿐 아무 성과도 없는 서클 활동의 본보기 같은 시간 속에서, 그들의 활력소가 된 것은 어느새 방에서 사라진 메구미가 어느새 준비한, 뜬금없는 야식이었다.

"에리리는 야키소바 같은 걸 좋아하지?"

"진짜로 좋아하는 건 인스턴트 야키소바지만…… 메구미가 만든 야키소바는 인스턴트에 버금갈 정도로 맛있었어."

"……방금 그 말, 칭찬으로 한 거 맞지?"

※ ※ ※

"금방이라도 비가 쏟아질 것 같네."

"응……."

"뭐, 6월이니까 어쩔 수 없을 거야."

"맞아……."

"……."

"……."

열차가 서쪽으로 향할수록 하늘은 점점 어두워지면서 금

방이라도 울음을 터뜨릴 듯한 양상을 띠었다.

그리고 그런 하늘 빛깔에 영향을 받은 것처럼, 모처럼 이야깃거리를 찾은 두 사람의 말수 또한 점점 줄어들었다.

"저기, 에리리."

"왜?"

"무슨 이야기라도 좀 해봐."

"뭐……."

"적당히 말 좀 걸어줘."

그리고 이 분위기에 먼저 질색한 사람은 메구미였다.

하지만 자신의 힘으로 타파하려고 하지 않는 점으로 볼 때, 아직 각오를 완전히 다지지 못한 것처럼 보였다…… 뭐, 그게 사실이지만 말이다.

"하, 하지만……."

"하지만, 뭐?"

하지만 에리리 또한 이런 상황에서 「아 예, 그런가요」 하면서 간단히 입을 열 수 있을 리가 없었다.

아니, 사실 메구미가 이 합숙을 기획한 것이 에리리와 화해하기 위해서라는 것은 상식적으로 생각해보면 알 수 있으리라.,

그런데도 에리리는 자신 쪽에서 적극적으로 커뮤니케이션을 취한다고 문제가 해결될 거라는 확신을 가지지 못했다.

왜냐면…….

"메구미는 화나면 엄청 무섭다고 들었어. 그리고 한번 삐치면 엄청 오래간다고 토모야가……."

"……………………나는 무섭지 않아. 안 삐친단 말이야, 에리리~."

"방금 그 말을 하기 전에 왜 그렇게 뜸을 들인 거야?!"

"으음~, 그건 말이야~, 좀 생각할 게 있었거든~."

메구미는 에리리의 발언을 듣고 활활 타오르려 하는 분노를 필사적으로 억누르더니, 평소보다 더 메마른 표정과 무미건조한 목소리로 에리리에게 해명하려 했다.

"……미안하지만, 메구미가 말을 걸어줘."

물론 그것은 완벽하기 그지없는 역효과였지만 말이다.

하지만 메구미를 옹호하기 위해 한마디 하자면, 그녀가 분노를 느낀 것은 상황을 악화시키기만 한 에리리의 어리석은 발언 때문이 아니었다. 그녀에게 그런 부정적인 의식을 심어준 악독한 정보 제공자(아키 토모야) 때문에 화가 났다는 사실을 이 자리를 빌려 밝혀 두겠다.

뭐, 그런 정보가 에리리에게 전해진다고 그녀가 느끼고 있는 공포가 사그라지지는 않겠지만 말이다.

"그럼 나부터…… 아, 무슨 이야기를 하면 좋을지 좀 정리해볼게."

이윽고 각오를 다진 메구미는 잠시 동안 진지한 표정으로

창밖의 하늘을 올려다보았다. 그리고 자신의 입에서 흘러나올 거 같은 대량의 말 중에서 비교적 온화한 것들을 골라 이야기를 시작했다.

"나는 확실히 에리리에게 불합리하게 화를 냈어."

"메구미……."

"에리리의 사정 같은 건 생각해보지도 않고, 자신의 마음만으로 멋대로 결론을 냈어. 그리고 너를 악당 취급하면서, 멋대로 따지고, 멋대로 울며, 멋대로 절교했지……."

그리고 자학적인 쓴웃음을 짓더니, 자신의 완고했던 두 달을 부정했다.

"다시 생각해봐도, 나는 정말 나쁜 애야."

"그렇지 않아. 메구미는 잘못한 거 없어……."

그렇게 아플 정도로 온화하고, 필사적일 정도로 자상한 메구미의 말은, 거꾸로 에리리의 마음속 깊은 곳에 송곳처럼 박혔다.

"누가 봐도 잘못한 사람은 나야."

그것도 그럴 것이, 에리리는 질책을 당할 각오는 되어 있었지만, 메구미가 자신을 탓하는 말을 받아들일 각오는 하지 못했던 것이다.

"하지만 에리리는 크리에이터로서 최선을 다하자고 생각했을 뿐이야. 일러스트레이터로서, 더욱 성장하고 싶었을 뿐이야."

하지만 에리리가 고통을 느끼고 있다는 사실을 눈치채지 못한 메구미는 자신을 더욱 상처 내며, 결과적으로 에리리에게도 상처를 입혔다.

"필사적으로 노력하는 에리리를 질투하거나, 배신했다고 생각하는 건 크리에이터로서 옳지 않은 짓일 거야……."

"메구미, 그만해! 그런 식으로 자신을……."

"그래, 옳지 않을 거야…………. 어디까지나, 내가 크리에이터라면 말이야."

"……뭐?"

자학적인 말로 자신에게 상처를 내고 있는 것 같던 메구미의 말은…….

뚜껑을 열고 보니, 처절한 카운터 어택의 서장에 지나지 않았다.

"하지만 나는 크리에이터가 아니라, 평범한 일반인이야."

"메구미?"

"재능도 없고, 노력할 생각도 없어. 옆에서 좀 도와주거나, 응원하는 것 외에는 할 수 있는 게 없어."

"저, 저기~?"

"그러니까 느닷없이 서클을 관둔 걸로 모자라, 카스미가오카 선배마저 끌어들인 데다, 토모야 군마저 배신한 에리리를 용서할 수가 없었어. 실은 지금도 마음이 정리되지 않아…….”

“아아아앗?!”

“게다가 반성하는 척하면서 결국 자신만 엄청 성장해버린 데다, 우리를 내버려 두고, 자신만 앞으로 쑥쑥 나가고 있는 걸…….”

“메, 메구미, 진정해…… 응?”

“요전번에 공개된 신작 게임의 키 비주얼, 그건 또 뭐야? 우리를 버리고 간 에리리가 그렇게 엄청난 걸 그리면, 나나 토모야 군은 아무 말도 할 수가 없잖아.”

“어, 그게 무슨 소리야? 난 메구미도 기뻐해줬으면 해서 죽을힘을 다해 그린 건데, 그걸 본 감상이 겨우 이거야?!”

“각자의 위치에서 열심히 하자 같은 생각을 하는 건 무리야. 따라갈 수가, 없단 말이야. 에리리를, 이해할 수가 없어……. 아아, 생각만 했을 뿐인데 눈물이 날 것 같아…….”

“어, 어라? 잠깐만 있어 봐. 메구미, 아까부터 은근슬쩍 『토모야 군』이라고 했지?! 분명 『토모야 군』이라고 했지?!”

“…………그런 말 안 했어. 에리리가 잘못 들은 거야~.”

그런고로, 그 여행은 일단 서로에서 있어 최악의 형태로 시작되었다.

※ ※ ※

"……."

"……."

열차 안에서 오랜 시간 동안 함께 있었는데도 불구하고, 두 사람은 오늘 도쿄 역에서 마주쳤을 때에 버금갈 만큼 마음의 거리가 멀어졌다. 그 후에도 별말 없이 열차를 내린 그녀들은 버스를 탔고…….

"드디어, 도착했네."

"응."

반년 전, 서클 멤버들과 함께 왔던 언덕에, 다시 도착했다.

"……비가 쏟아지고 있지만 말이야."

"응……."

하지만 반년 전만 해도 단풍이 시야를 가득 채우고 있던 그 장소에서는 현재 장대비와 먹구름밖에 보이지 않았다.

원래 이 이 시기에는 푸른 새싹이 산을 가득 채우고 있어야 하지만, 산을 뒤덮은 비구름 때문에 원래 어떤 지형인지 알기 위해서는 예전 기억을 떠올릴 수밖에 없었다.

메구미와 에리리는 반경 100미터 너머는 보이지 않을 만큼 세차게 쏟아지는 비를 우산으로 어찌어찌 막으며 인상을 썼다.

"스케치하는 건 무리겠네."

"뭐, 오늘은 말이야."

이젤이 들어 있는 가방의 어깨끈이 메구미의 어깨를 묵직하게 눌렀다.

"게다가 생각했던 것보다 추워, 에리리……."

"산을 좀 얕본 것 같아……."

게다가 산의 낮은 기온과 비라는 더블 펀치가, 6월이라 더울 줄 알고 옷을 얇게 입은 두 사람의 체온을 야금야금 빼앗아 갔다.

그뿐만 아니라 우산을 두들기고 있는 격렬한 빗소리가 메구미의 의욕을 빼앗고 있었다.

이런 곳에, 대체 뭘 하러 온 것일까…….

그녀는 화해를 하기 위해, 1박 여행을 서둘러 준비했다.

여행 대리점에 근무하는 형부에게 부탁해 여관을 확보했고, 하굣길에 열차표를 끊었다.

메구미로서는 거금을 들여 가며 에리리를 데리고 온 곳이, 비 때문에 한치 앞도 보이지 않는 데다, 춥기까지 한 산이라니…….

"에리리, 어떻게 할래? 여관에 갈까? 아직 체크인을 하기에는 이르지만……."

"메구미……."

에리리는 표정이 가라앉은 메구미를 지그시 쳐다보았다.

"그래도 이런 곳에 있어 봤자 의미가 없잖아. 아, 그뿐만 아니라 감기에 걸릴지도 몰라."

메구미의 표정은 여전히 담담하고 밋밋했다. 하지만 아까까지와는 다른 방향성을 지닌 부정적인 말과 태도가, 메구미가 말로 표현하지 않은 감정까지 에리리에게 전해줬다.

『왜 이렇게 되어버린 걸까』라는 감정을…….

"왜 이렇게 되어버린 걸까……."

에리리가 고생고생해서 읽어 낸 메구미의 마음속 말을, 그녀가 허무하게도 입에 담은 것은 일단 제쳐 두겠다. 아무튼 메구미가 기어드는 목소리로 그렇게 말하자, 에리리는 고개를 두세 번 내저으면서 구름에 뒤덮인 새하얀 산을 다시 쳐다보았다.

하지만 그곳에는 끝내주는 절경 같은 것은 존재하지 않았다. 그러니까 에리리가 담당하는『필즈 크로니클 XⅢ』의 전투 장면에서 활용할 만한 광경은…….

"……아, 기습이라면 어떨까?"

"뭐?"

"산 너머에서 적의 대부대가 다가오는 거야. ……산을 뒤덮을 만큼 많은 병사들이 몰려오고 있는 거지."

"에리리?"

"하지만 주인공의 동료들과 아군 부대를 다 모아 봤자 그 숫자의 1할에도 미치지 못해……."

그렇게 중얼거린 에리리는 눈을 감더니 반년 전에 봤던 산을 머릿속에 떠올렸다.

아니, 산뿐만 아니라, 단풍으로 물든 경치를 뒤덮은 병사들 또한 상상했다.

그리고 몇 초 후 다시 눈을 뜨자, 안개인지 구름인기 구별이 되지 않는 새하얀 장애물이 과거의 광경을 전부 뒤덮고 있었다.

"……떠올랐어."

"아, 저기……."

다음 순간, 에리리는 즉시 행동을 시작했다.

……그리고 그것은 무모하기 그지없는 짓이었다.

"메구미! 미안한데 내 우산 좀 들어줘!"

"으, 응……?"

에리리는 메구미에게 자신의 우산을 떠넘기더니, 비를 맞으면서 이젤을 꺼내 조립했다.

이렇게 되자 메구미가 할 수 있는 일이라고는 양손에 든 우산으로 자신과 에리리에게 쏟아지는 비를 막으며 그녀의 행동을 쳐다보는 것뿐이었다.

이젤을 조립한 에리리는 그 위에 놓은 스케치북에 연필로 그림을 그리기 시작했다.

종이가 비에 젖고, 연필로 그린 선이 끊어지는 것을 개의치 않으면서, 아니, 그런 걸 눈치채지 못한 것처럼 일심불란하게 선을 양산하고 있었다.

메구미는 마치 뭔가에 씌인 듯한 에리리를 보면서 당혹스러워했다.

……하지만, 지금 에리리가 원하는 것이 무엇인지 눈치챈 메구미는 스케치북 쪽으로 우산을 내밀었다.

그리고 에리리는 자신의 금발이 비에 젖는 것을 전혀 개의치 않으면서, 머릿속에 떠오른 이미지를 구현했다.

스케치북에는 어느새 높은 산들이 솟아났다.

지금 이 자리에서 볼 수 없는 절경이, 그 그림 속에 검은색과 흰색으로 표현된 것이다.

"우와아……."

메구미는 완성된 그 그림을 보더니 탄성을 터뜨렸다.

하지만 메구미의 탄성조차 들리지 않는 듯한 에리리는 연필을 비스듬히 들더니, 그 산들을 선이 아니라 옅은 면으로 뒤덮었다.

"어? 왜 연필로 덧칠하는 거야?"

"기습 장면이거든."

"그래도 기껏 그린 산이 가려지잖아."

"보이지 않으니까 당연한 거 아냐?"

에리리는 동문서답 같은 대화를 나누면서도, 계속 손을 놀려 옅은 먹빛을 띤 검은색으로 방금 그린 산들을 뒤덮었다.

그러자 그림 속의 산에 구름이 드리워지더니, 그 뒤를 이어 안개로 뒤덮였고, 결국 비가 내리고 있는 듯한…….

"아……."

"압도적인 열세라 전혀 승산이 없는 싸움에서, 어둠이나 안개를 이용해 대역전극을 벌이는 건 전쟁물의 왕도이자 흥분되는 이벤트잖아?"

"그건……."

그리고 에리리는 구름으로 뒤덮인 산에서 연필을 떼더니, 흐릿하게 윤곽만 보이는 근처 언덕의 절경을 그리기 시작했다.

구름이 짙게 드리워진 산속에서 적을 놓치고 당황한 병사들이 초 단위로 점점 늘어나고 있었다.

어떤 이는 무턱대고 주위를 향해 검이나 창을 휘둘렀고, 어떤 이는 같은 편을 공격했으며, 어떤 이는 드디어 그림 속에 나타난 주인공들의 먹잇감이 되었다.

"으음…… 괜찮네! 이제 이 시추에이션에 맞춰 스토리를 짜기만 하면 되겠어."

"어, 이 장면의 시나리오는 아직 없어?"

"당연하지. 방금 내가 고안한 신이거든."

"그래도…… 괜찮은 거야?"

"당연히 괜찮지……. 시나리오를 쓰는 사람은 바로 그 카스미가오카 우타하잖아."

"아……."

그 순간, 메구미는 드디어 이해했다.

지금 이 장면을 그리면서 에리리가 이야기를 나눈 상대는 자신이 아니었다는 사실을…….

"내가 이 그림을 보여주면 어차피 멋대로 폭주하지 말라면서 투덜대겠지만, 이 신을 멋지게 활용한 퍼펙트한 텍스트를 만들어줘……. 게다가 나한테 추가 신을 주문할 게 뻔해."

약간 비아냥거리는 듯하면서도 즐겁게 이야기하고 있는 에리리의 저 활기찬 표정을 자아낸 사람이 자신이 아니라는 사실을…….

"메구미…… 이렇게 멋진 로케이션 장소에 데려와줘서 고마워."

"……응."

에리리가 이렇게 뜬금없는 행동을 취한 건 메구미가 기운을 냈으면 해서라는 사실은 메구미 본인 또한 알고 있었다.

이 합숙이 쓸데없는 짓이 아니라는 걸, 필요하다는 걸, 그리고 자신이 즐기고 있다는 걸 전하기 위해 그랬다는 것은, 질릴 정도로 알고 있다.

"저기, 메구미. 미안한데 여기서 한 장만 더 그려도 돼? 다 그리고 나면 비를 피할 수 있는 곳으로 이동하자."

"……알았, 어."

하지만 에리리가 메구미를 위해 발동시킨 『크리에이트 모드 에리리』는, 메구미가 가장 소외감을 느끼게 만드는 『짜증 나는 에리리』이며…….

"두고 봐, 코사카 아카네……. 내가 귀여운 캐릭터밖에 못

그린다고 말한 걸, 후회하게 만들어주겠어!"

"……."

언제부터인가 에리리는 메구미가 옆에 있다는 걸 잊은 채 작업에 더욱 몰두했고…….

자신에게 우산을 씌워주고 있는 메구미의 손이 떨리고 있다는 사실 또한, 눈치채지 못했다.

※ ※ ※

"……."

"……."

결국 에리리의 스케치는 네 시간 동안 계속되었고…….

두 사람이 여관에 도착하자, 어느새 해는 완전히 지고 말았다.

"저, 저기, 메구미……."

"응?"

"이거, 맛있다……."

"그래……."

"……."

"……."

"마, 맞다. 여기 노천온천은 여전히 기분 좋았어. ……비가 너무 차가워서 샤워장과 욕조를 몇 번이나 왕복했지만 말이야."

"그랬구나……."

"메구미도 밥 먹고 나서 들어가 봐. 몸을 데우지 않으면 감기 걸릴 거야."

"응. 그래……. 나중에 가볼게."

"……."

"……."

노천온천에 가서 몸을 데우자고 말한 에리리에게 「피곤하니까 먼저 들어가」 하고 대답하고 홀로 방에 남은 메구미는, 저녁 식사 시간에도 지친 표정을 지은 채 건성으로 대답하고 있었다.

"……."

"……."

활기가 느껴지지 않는 대화, 바닥을 치고 있는 식욕, 차갑게 식은 분위기…….

그런 힘든 상황에서, 에리리는 단둘만의 여행지에서 분위기가 나빠지는 게 얼마나 절망적인지 처절하게 느꼈다. 그리고 세간에 신혼여행 이혼이라는 게 존재하는 이유를 실감하고 있었다.

"윽…… 저, 저기, 메구미!"

"응? 에리리, 왜?"

그래서, 부글부글 끓는 냄비 안의 음식에 손도 내밀지 않은 채 3분 정도 지났을 즈음…….

"내가 잘못한 게 있으면 앞으로는 안 그러도록 고칠게! 메구미가 안 된다고 딱 잘라 말하면 바로 관둘게!"

"뭐……."

"그러니까, 말해줘…… 내가 잘못한 게 있으면, 가르쳐줘."

각오를 다진 에리리가 곤로의 가스를 끄더니, 비장한 표정을 지으며 메구미를 응시했다.

"에리리는 잘못한 거 없어. 나는 진짜로 피곤해서……."

"나, 또 메구미에게 상처를 입힌 거지? 그래서 슬퍼하는 거지?"

"……."

메구미는 에리리의 그런 표정을 보지 않기 위해 고개를 돌리더니, 그저 아무 일도 없었다는 듯이 넘어가려 했다.

하지만 에리리는 그런 메구미의 태도를 이번에야말로 간과하지 못했다.

"비가 오는데도 계속 끌고 다닌 것 때문이야? 내가 그림 그리는 것에 푹 빠진 것 때문에 이러는 거야?"

"진짜로, 그런 거 아냐……."

"원래는 분위기를 통해 그런 걸 눈치채야겠지만…… 나는 그런 것에 둔감한 것 같아."

"그건……."

에리리의 소꿉친구(토모야)의 말을 빌리자면, 그것은 그녀가 8, 9년 전부터 안고 있던 성격적 문제다.

"그런 게 아냐. 아니라구……. 에리리는 올바른 일을 했을 뿐이야."

그렇기 때문에, 에리리는 그렇게 오랫동안 『진정한 친구』를 만들지 못한 채 창작만을 마음의 지주로 삼아 왔다.

"내 실수를 만회해주려고 했어. 이 합숙을 유익하게 만들려고 노력했어."

"그럼…… 메구미는 왜 그렇게 기분이 가라앉은 거야?"

"내가 이러는 건…… 자기혐오 때문이야."

"뭐……?"

"아까, 네가 그림을 그리고 있을 때, 나는 생각하고 말았어……. 『에리리가 멀어져 가는 게, 싫어』 하고……."

"윽……."

하지만 창작만을 마음의 지주로 삼았기 때문에…….

에리리는 무엇이든 『창작으로 해결』할 수밖에 없었다.

자신의 엄청난 실력으로, 상대를 굴복시킬 수밖에 없었던 것이다.

"반드시 에리리와 화해하겠다고, 토모야 군과 약속했는데…… 정말 분해."

냄비에서 김이 나지 않자, 방 안이 서서히 식어 갔다.

"자신이, 이렇게 못난 인간이라는 게…… 정말 싫어."

여전히 담담하게, 그리고 아플 정도의 슬픔이 느껴지는, 차분한 목소리만이 방 안에 울려 퍼졌다.

그런 강제적인 방식이 그대로 불발로 끝나고 말았다는 사실에서 비롯된 무력감이 감도는 분위기 속에서…….

"그럼…………………… 어떻게 하면 나를 가깝게 느낄 수 있는데?"

에리리는, 결국 전진을 선택했다.

자신의 힘으로, 상대를 굴복시키려 했다.

"내가 뭘 해야, 메구미가 나와 화해해줄 거야?"

왜냐하면, 에리리에게는 이것밖에 없는 것이다.

"아무것도 할 필요 없어. 에리리는 아무 잘못도……."

"그딴 건 아무래도 상관없어! 잘못된 거든 아니든 상관없으니까, 메구미가 마음에 안 드는 점은 고치겠단 말이야!"

"……그건 무리야."

"왜?! 그건 해봐야……."

"왜냐면…… 나는 에리리가 서클에 돌아오기를 원해. 또 같이 게임을 만들고 싶단 말이야."

"아……."

"하지만, 이제 와서 그건 무리야. 이건 엄청난 찬스잖아. 그러니 커다란 책임도 뒤따를 거야. 게다가 에리리가 고민하고 또 고민한 끝에 선택한 길이지? 그러니까 나도 그건 반대야."

하지만 에리리의 그런 방식은, 강렬하면서도 단순하기에, 이렇게 간단히 자멸하고 만다.

"그러니까 결국 이러지도 저러지도 못하는 거야. 미안해."

메구미는 테이블 너머에 있는 에리리를 향해 머리를 숙였다.

"그럼…… 나는 평생, 메구미와 화해, 못하는 거야?"

"그렇지, 않아……. 그저, 조금 더 시간이 필요한 것뿐이야."

요리도, 방도 점점 식으면서, 한낮에 산을 뒤덮고 있던 비구름처럼 무거운 분위기가 방 안을 가득 채웠다.

"……싫어."

하지만 에리리는 이 꼼짝달싹 못하는 상황을 억지로라도 돌파하려 했다.

"지금 바로, 메구미가 용서해주지 않는다면, 싫다구."

눈가에 눈물이 맺혔…… 아니, 눈물을 줄줄 흘리며…….

몇 번이나 실패했으면서도, 그녀는 또다시 도전했다.

"싫어, 싫어, 싫다구우우우우~!"

"에리리……."

그 포기를 모르는 마음이, 메구미가 선망하고, 또한 그녀를 절망에 빠뜨리고 있다는 사실을 모른 채…….

"으, 으윽…… 흐, 흑, 흐흑……."

"자, 에리리……."

"훌쩍……."

메구미는 손수건으로 에리리의 눈가를 닦았다.

"미안해, 미안해, 에리리."

격정을 쏟아 내는 에리리를, 마치 감싸 안아주듯, 조용히, 부드럽게…….

"하지만, 이번만큼은, 절대 양보할 수 없어."

실은 정반대되는 짓을 하고 있다는 것도 모른 채…….

"왜냐면, 절친이니까…… 진짜로 좋아하니까……."

"메구미……."

"그러니까 타협할 수는 없어. 아무것도 해결되지 않았는데, 얼굴을 마주하며 웃을 수는 없단 말이야."

"우에에에에엥……."

메구미가 그렇게 말한 순간, 에리리의 눈동자에서 또 눈물이 쏟아져 나왔다.

"저기, 에리리……."

그리고 한결같기 그지없는 에리리의, 강하고, 여리며, 순수할 뿐만 아니라 고집스러운 마음에 흔들린 것일까, 아니면 다른 이유가 있는 것일까…….

또 손수건으로 에리리의 눈가를 닦아준 메구미는 한 번 더, 앞으로 나아가보기로 했다.

"나랑 같이, 목욕하러 갈래?"

※ ※ ※

"……."

"……."

잠시 후, 두 사람이 노천온천의 문을 통과했을 즈음, 다행히 비는 그쳤다. 그리고 구름이 얇은 부분을 통해 달의 희미한 윤곽이 보이고 있었다.

에리리는 욕조에 들어가더니, 새빨개진 눈을 물로 몇 번이나 씻었다.

그리고 메구미는 그런 에리리의 옆에 앉더니, 희미하게 보이는 달을 올려다보면서 천천히 숨을 내쉬었다.

욕탕 안에서 다리를 편 에리리는 바위에 등을 맡긴 채 온몸에서 힘을 뺐다.

그리고 오늘 하루 동안 몸이 느꼈던 추위와 피로, 그리고 마음이 느꼈던 고통과 피로를 그 따뜻한 물로 씻어 내려 했다.

"저기, 에리리……."

"……왜?"

"역시, 기분 좋다."

"내가 기분 좋다고 했잖아."

그렇게 온수에 몸을 담그자…….

혈관이 따뜻해져서 피가 잘 흐르는 것처럼, 지금까지 통하지 않던 마음이, 어쩌면 다시 이어질지도 모른다는 긍정적인 생각이 들었다.

"저기, 에리리……."

"이번에는 또 왜?"

"에리리는 왜 토모야 군과 갈라설 결심을 한 거야?"

"…………딱히 갈라선 적 없어."

그리고 그 긍정적인 마음은 앞으로 나아갈 힘과 새로운 알력을 낳았다.

"갈라섰어. 적어도 토모야 군은 틀림없이 상처를 받았어."

"토모야와는 화해했어. 나를 용서해줬단 말이야."

"그건 화해라고 할 수 없어. 에리리의 결심을 토모야 군이 일방적으로 인정해준 것뿐이야."

"윽……."

"지금 두 사람의 관계가 원래대로 되돌아간 것처럼 보이는 건, 토모야 군이 에리리의 신자이기 때문이야."

하지만 메구미는 그 알력을 무시하거나, 외면하지 않은 채 앞으로 나아갔다.

에리리와 마찬가지로, 공세를 펼친 것이다.

"저, 저기, 메구미……."

"왜~?"

"저기, 혹시나 해서 묻는 건데…… 메구미가 화난 건, 나를 용서하지 못하는 건, 혹시 토모야 때문이야?"

"…………그럴 리가 없잖아."

그 부정은 에리리가 흑백을 가릴 수 없을 만큼 미묘한 침묵 후에 메구미의 입에서 흘러나왔다.

"그, 그것보다 메구미. 너 어느새 토모야를 『토모야 군』이라고……."

"아~. 그 이야기는 다음에 하자."

"하, 하지만, 메구미가 아까 타협할 순 없다고……."

"……일에는 차례라는 게 있잖아."

"차, 차례?"

"그래. 차례…… 우리가 해결해야만 하는 일은 아직 잔뜩 있어."

"메구미……."

그럼 그 차례가 되었을 때, 어떤 이야기를 할까? 그리고 그 결과, 두 사람 사이에서는 어떤 일이 일어날까……?

그런 불안으로도, 기대로도 받아들일 수 있는 의문이 에리리의 마음속에 가라앉았다.

"에리리는…… 나중에 뭐가 되고 싶어?"

"뭐?"

"에리리의 목표는 뭐야? 서클을 관두지 않으면 도달할 수 없는 것이었어?"

손바닥에 담긴 물이 손가락 사이로 흘러내렸다.

메구미의 그 행위에 어떤 의미가 담겨 있는 것인지, 에리리는 아마 모르겠지만…….

그래도 에리리는 심호흡을 한 후, 말을 고르면서, 신중하게…….

“나는, 최고가 되고 싶어.”

그리고, 단숨에 몰아붙였다.

“그건 그림쟁이라면 누구나 꿈꾸는 목표……는 아닐지도 몰라. 남들에게 좀 인정받거나, 직업으로 삼을 수 있거나, 좀 즐겁기만 하면 만족하는 사람도 잔뜩 있을지도 몰라.”

“뭐, 취미 삼아 하는 사람이 압도적으로 많을 거라고 생각해.”

“하지만 나는 운 좋게도 정상을 엿볼 수 있었어……. 아니, 엿보고 말았어.”

동인 이벤트에서는 벽 서클까지 올라갔다.

상업에서 처음 맡게 된 일은 바로 인기 RPG의 캐릭터 디자인이다.

지금의 에리리는 누가 봐도 『취미 삼아 즐겁게 활동 중인 동인 일러스트레이터』가 아니었다.

“그런 내가 더욱 위로 올라가기 위해서 무엇을 해야 할지, 누가 필요한지 깨달았어. 그래서 더욱 위로 올라가자고 생각하게 된 거야.”

그 사실을 가르쳐준 인물(코사카 아카네)에게는 눈곱만큼의 고마움도 느끼지 않는다.

그저 원망과 증오, 그리고 『언젠가 반드시 쓰러뜨린 후, 그녀석의 위에 서주겠어』라는 강한 의지만을 느끼고 있었다.

"나는 궁지에 몰리지 않으면 싸울 수 없어. 어리광이 존재하면 앞으로 나아갈 수 없어."

그 사실은 작년 겨울 코믹마켓 직전에 경험한 『악몽 같은 일주일』과, 올해 초에 경험한 『행복한 두 달』을 통해 처절하게 깨달았다.

마감 때문에 궁지에 몰린 상태에서, 기절해 가며 그린 그림은 신이 내렸다고 평가받은 일곱 장의 이벤트 CG였다.

하지만 그 다음에 그릴 한 장에 대해 「얼마든지 기다려줄게」라는 말을 들은 순간, 그 일곱 장의 그림을 뛰어넘는 것은 고사하고 어깨를 나란히 할 만한 그림도 그리지 못했다.

"그렇게 약해 빠진 나에게 『blessing software』는 낙원이나 다름없어."

일러스트레이터로서, 성장할 수가 없는 것이다.

"하지만, 하지만…… 에리리가 낙원을 버리면서까지 지향하는 『최고』란…… 천국이 아니라 지옥일지도 몰라."

"……맞아."

그때, 에리리의 얼굴에 떠오른 미소는 약간 자학적이었으며…….

"하지만 만약 그게 지옥이라면, 다음에야말로 천국을 목표로 삼겠어. 다른 방향으로 나아가거나, 같은 방향으로 쭉 나아가볼래."

그리고, 도전적이었다.

"그렇게 점점 위로 올라가서…… 결국 최고가 된 다음에는 어떻게 할 거야? 소원을 이룬 후, 에리리는 어떻게 되는 거야?"

"무슨 소리야, 메구미……. 그런 소원을 이룰 수 있을 리가 없잖아."

"뭐……?"

에리리가 선문답 같은 대답을 하자, 에리리는 진지하기 그지없는 표정을 지으며 그녀를 쳐다보았다.

"다행스럽게도…… 그림쟁이의 세계에 절대적인 최고는 존재하지 않아."

아까까지만 해도 금방이라도 울 것 같은 표정을 짓고 있던 에리리는 어느새 꿈을 꾸는 어린아이 같은, 그리고 자신감으로 가득 찬 어른 같은 표정을 짓고 있었다.

"최고라는 평가를 받더라도, 돈을 가장 많이 벌더라도, 결국 더 뛰어난 사람도 있고, 다른 장르가 남아 있어. 위로든, 옆으로든, 어느 방향으로든, 종횡무진으로 나아가며 싸울 수 있는 거야."

“그 끝은…… 대체 어디야?”

“글쎄. 일단 나의 현재 목표는…… 이 세상의 몇몇[너희] 사람들이 나를 『세계 제일의 일러스트레이터』로 인정하게 만드는 거야.”

그리고 에리리는 표정뿐만 아니라 말에서도 어린아이의 순수함과…….

“그리고…… 그 몇몇 사람들의 곁으로, 다시 한 번 돌아가는 거야.”

어른의 강한 의지가 함께 존재하고 있었다.

“세계 제일, 그리고 업계 제일이 되고, 멋진 동료들과 행복해지는 것…….”

“그게 바로 코사카 아카네 따위는 절대 도달하지 못할…….

그 녀석 너머에 존재하는, 정상이야.”

“그러니, 내 목표는 너무나도 멀고 높은 곳에 있어.

그러니 지금은 멈춰 설 수 없어.”

“미안해, 메구미…….

나는 네가 원하는 내가 될 수 없어.”

“하지만 메구미…….
나는, 너를, 그리고, 너희를 절대 포기하지 않을 거야.”

“……나는, 세상에서 가장 엄청나고…….
세상에서 가장 행복한 일러스트레이터가 되겠어.”

“……에리리의 그 꿈이, 이뤄졌으면 좋겠네.”
“이뤄질 거야. 당연하잖아.”

너무나도 장대하고, 너무나도 바보 같으며, 너무나도 방향성이 잘못된 데다…….

그리고, 너무나도 멋진 허풍을, 메구미는 온천물의 온기와 함께 온몸으로 받아들였다.

눈앞에 있는 그녀는 아까까지의 『크리에이터 모드 에리리』가 틀림없지만…….

……그래도 메구미에게 있어 『짜증 나는 에리리』는 아니었다.

※ ※ ※

“…….”
“…….”

기나긴 목욕을 끝낸 두 사람이 이부자리에 들어가 보니,

어느새 자정이 지나 있었다.

형광등이 꺼져 어두운 방 안은 소형 전구에서 흘러나오는 오렌지색 불빛으로 희미하게 물들어 있었다.

"저기, 메구미……."

"응?"

"자?"

"……아직 안 자."

"그 「자?」라는 질문은 상대방이 대답한 순간 아무런 의미가 없어진다는 것은 두 사람 다 알고 있었다.

하지만 질문을 던진 사람도, 그 질문에 대답한 사람도, 그런 사소한 것은 신경 쓰지 않을 만큼 대화 속에서 온기와 유대를 느끼고 있었다.

"절묘한 타이밍에 온천에 들어갔었네."

"응……."

아까 그쳤던 비가 다시 추적추적 내리는 소리가 방 밖에서 흘러 들어오고 있었다.

그 빗소리와 낮은 목소리가 섞이자, 방 안은 두 사람에게 있어 매우 차분한 공간이 되었다.

"저기, 메구미……."

"왜?"

"내일 아침에 눈을 뜨면, 전부 원래대로 되돌아가 있을까?"

"……그 『전부』가 뭘 말하는 거야?"

"…………"

메구미는 에리리가 기대하는 대답이 무엇인지 파악하고 있었다.

하지만 지금은 그 「응. 맞아, 에리리」라는 모범 답안을 입에 담기엔 이르다는 사실도 파악하고 있었다.

"전부 원래대로 되돌아가지는 않아. 에리리도 원래대로 되돌리고 싶지 않은 게 있잖아?"

"예를 들자면?"

"그야 상업에서 최선을 다하자는 결심을 되돌리고 싶지는 않지? 그렇게 강한 각오를 없었던 걸로 하고 싶지는 않잖아?"

"……아, 그런 뜻이구나."

그것이 메구미의 생트집이라는 사실은 에리리도 알고 있었다.

에리리가 『원래대로』 되돌아갔으면 하는 것이 극히 일부라는 것을 알고 있으며, 그 점에 대한 대답을 보류하기 위해 말을 돌렸을 뿐이라는 것 또한 알고 있다.

"게다가 어느 시간대로 되돌아가면 원래대로 되돌아간 것일까?"

"그건……."

그것 또한 메구미의 생트집이다.

에리리가 원하는 『원래대로』란 겨울 코믹마켓 전이자, 두 사람이 만난 후이며…… 더 정확하게 말하자면 두 사람이 우정을 맹세한 후라는 것도 메구미는 알고 있는 것이다…….

"예를 들어…… 9년 전이라면 어떨까?"

"그건……."

하지만 그렇게 엉터리 같은 시대 설정을 한 것은…….

아니, 엉터리 같지만, 실은 정확하게 목표 지점을 겨냥하고 있었다.

"후회, 해? 그때 토모야 군을『처음으로』배신한 걸……."

즉, 이제부터 시작되는 것은 다음으로 두 사람이『해결해야만 하는 일』이었다…….

"저, 저기, 메구미……. 아까부터 묻고 싶었는데, 토모야를『토모야 군』이라고……."

"……딱히 이상한 일은 아니잖아? 같은 서클의 멤버니까 말이야."

"하, 하지만, 지금까지는 항상『아키 군』이라고……."

"그렇게 치면 에리리가 처음으로 토모야 군과 만났을 때는…… 으음,『토모 군』이라고 불렀다면서?"

"……뭐?"

"에리리의 어머니가 그렇게 부르니까, 덩달아 그렇게 부르게 된 거지?"

"어, 어떻게 그걸……?"

"에리리는 처음에 토모 군과 만났을 때 심하게 다퉜잖아.

『언덕 위의 흡혈귀』라는 소리를 듣고 열 받아서 말이야.”

“자…… 잠깐만 있어 봐.”

“하지만 그 일을 계기로 금방 친해진 두 사람은 항상 함께 다니게 되었다면서?”

“잠깐만 있어 보란 말이야!”

“그 후, 절교한 다음부터는 서로를 이름으로 부를 일이 없었지만, 토요가사키에 입학하고, 오래간만에 이야기를 나누게 되었을 때…….”

“저, 저기, 메구미? 네가 그걸 어떻게 알고 있어?!”

“아~, 걱정하지 마. 이건 어디까지나 우리가 만드는 게임의 시나리오일 뿐, 실존 인물 및 실제 역사와는 전혀 상관이…….”

“너희 대체 무슨 짓을 한 거야아아아아아~?!”

토요일에서 일요일로 넘어가는 심야 0시경…….

밖에서 들려오는 잔잔한 빗소리를, 에리리의 절규가 지워 버렸다.

※ ※ ※

“…….”

“…….”

여전히 밖에서 빗소리가 흘러 들어오고 있는 오전 한 시.

아까까지 꺼져 있던 형광등은 다시 밝게 빛나고 있었고,

아까까지 드러누워 있던 두 사람은 현재 이부자리 위에 무릎을 꿇고 마주 보고 앉아 있었다.

"저기, 메구미……."

"으, 응~?"

하지만 에리리는 메구미가 아니라, 자신이 들고 있는 태블릿의 화면을 스크롤하면서 응시하고 있었다.

그리고 그런 에리리의 반응을 본 메구미는 「아차~」 하고 말하는 듯한 표정을 지은 채 이 방 안을 둘러보며 시간을 보내고 있었다.

"……이게 뭐야?"

"그러니까 『blessing software』 세컨드 프로젝트, 『시원찮은 히로인을 위한 육성방법(가제)』의 일부 시나리오……."

"그런 문제가 아니잖아! 이건 그런 수준의 문제가 아니라는 건 너도 알지?!"

"……아~, 응."

그리고 「이게 뭐야?」라는 질문은 저 태블릿의 화면을 본 순간 의미가 없어진다는 사실을 두 사람 다 알고 있었다.

하지만 질문을 한 사람도, 질문에 답한 사람도, 그런 사소한 점은 신경이 쓰이지 않을 정도로 자신들을 향해 다가오는 파멸의 발소리를 느끼고 있었다.

"메, 메구, 메구미…… 너, 너, 지금까지 그렇게 나를 탓해 놓고…… 실은 이런 특대 폭탄을 몰래 가지고 있었던 거야?!

"정말 죄송합니다~."

"일부러 멍한 척하지 말란 말이야, 이 음흉 부대표!"

그리고 아까까지 방 안을 가득 채우고 있던 잔잔하면서도 훈훈한 분위기는 순식간에 박살이 나더니, 마치 평소의…… 아니, 예전의 합숙소(토모야의 방)를 연상케 했다.

에리리가 읽고 있는 것은 메구미가 아까 말했던 『blessing software』 신작, 『시원찮은 히로인을 위한 육성방법(가제)』의 시나리오 텍스트…… 즉, 토모야가 쓴 미소녀 게임의 스토리 부분…….

……그중에서도 지난주에 완성된 『서브』 히로인, 사와무라 스펜서 에리리(가명) 루트인 것이다.

"이, 이, 이거, 나, 나나, 나……."

"그러니까 실존 인물 및 실제 역사와는 전혀 관련……."

"전에 토모야가 나와 옛날이야기를 했던 것도, 설마 이것 때문에……."

"아~. 그 점에 대해서는 서클 부대표로서 유감의 뜻을……."

"이, 이럴 수가……."

"……미안해. 충격을 받았다면 진심으로 사과할게. 할 말이 있다면 내가 전부 들어주겠어."

방금까지만 해도 가벼운 태도를 취하고 있던 메구미는, 안색이 창백해진 에리리를 보더니 진지한 표정을 지으며 머리를 숙였다.

“그렇다고 메구미에게 모든 책임을 떠넘기는 것도 왠지 싫어…….”

“신경 쓰지 마. 억지로 사과하는 것도 아니고, 진짜로 책임감을 느껴서…….”

“메구미가 그렇게 진지하니까 싫은 거란 말이야! 너, 대체 어느새 토모야를 그렇게 진심으로 감싸게 된 거야?!”

하지만 그 진지함이 에리리의 역린을 인정사정없이 건드린 것 같았다…….

“하지만 『직책 : 히로인』이 된다는 건 원래 이런 거야. 자신의 말투나 행동거지를 샅샅이 관찰당하는 데다, 그걸 멋대로 이야기 소재로 삼아. 게다가 자신의 마음 같은 건 안중에도 없이 시나리오 안에서는 주인공을 사랑해야 할뿐더러, 부끄러운 대사도 입에 담아야 하고, 때로는 에로……가 아니라 러브러브 장면도 연출해야…….”

“그렇게 자기도 고생이 많으니 어쩔 수 없다는 식으로 책임 회피 하지 마!”

“아까도 말했지만, 내가 전면적으로 책임을 지겠…….”

“자기 책임도 아닌 걸 뒤집어쓰면서 본처 행세하지 마!”

“그럼 대체 뭘 어쩌라는 건데…….”

에리리의 분노를 가라앉히지 못해 두 손 두 발 다 든 메구미와, 분노를 풀 곳을 찾지 못해 두 손 두 발 다 든 에리리 사이의 분위기는 점점 나빠지고 있었다.

"아아~ 더는 무리야! 이딴 걸 어떻게 읽느냔 말이야! 그렇다고 이런 상태에서 잠이 올 리도 없잖아! 아아아아아~!"

"하지만 끝까지 읽지 않으면 후회할 것 같은데……."

"왜 후회하는데?! 이게 리벤지 포르노나 폭로 서적과 뭐가 다르냔 말이야!"

"뭐, 그렇게 말한다면 나도 할 말이 없지만 말이야."

"무슨 말이든 해보란 말이야!"

"그럼 그런 것들과 다른 점을 하나 언급하자면…… 이건 모에 게임이야."

"그, 그게 뭐 어쨌……."

"즉, 완전무결한 해피엔딩이라는 거야."

"……뭐?"

"이 시나리오는 히로인에게 복수하거나, 중상모략을 하지 않아. 『주인공』의 마음이 가득 담겨 있는, 읽다 보면 얼굴이 화끈거리는 러브 레터야."

"러, 러브 레터?!"

"그런데도 더는 읽지 않겠다면, 나도 아무 말도 하지 않을게. 에리리가 이런 걸 세상에 내놓지 말라고 한다면, 내가 책임지고 이 시나리오를 없애겠어."

"러브 레터…… 러브 레터……."

"선택할 사람은 에리리…… 바로 너야."

"…………(꿀꺽)."

하지만 아까까지만 해도 비장감이 느껴지던 그 『나쁜 분위기』에서는, 이제 짜고 치는 고스톱 같은 느낌이 물씬 풍기고 있었다.

※ ※ ※

"으, 으, 흑, 으흐흑……."

"…………."

어느새 밖에서 들려오던 빗소리가 완전히 사라진 새벽 두 시…….

두 사람은 여전히 이부자리 위에서 눈싸움을 벌이고 있었다.

"우에에에엥, 훌쩍……."

방 안을 가득 채운 소리는 오열 섞인 한숨과, 감동적인 느낌의 배경 음악이었다.

"자, 손수건."

"으, 응. 미안해, 미안해, 메구미…… 우, 에, 우에에에엥~."

이 훌쩍거림은 시나리오를 끝까지 읽은 에리리의 입에서 흘러나오고 있었다.

그리고 배경 음악은 메구미가 들고 있는 스마트폰의 스피커에서 나오고 있었다.

“이건 얼마 전에 효도 양한테서 받은 신작 BGM인데, 라스트 신에 딱 맞을 것 같아서…….”

“크…… 효도 미치루 따위가, 이렇게 눈물 나는 노래를 만들다니…….”

“뭐, 에리리를 울린 건 음악만이 아니겠지만 말이야.”

“……시끄러워.”

에리리는 반항하듯 고개를 좌우로 흔들면서 메구미가 내민 손수건에 얼굴을 비볐다.

에리리의 고집스러운 모습을 본 메구미는 부드럽게, 그리고 약간 잘난 척하는 듯한 목소리로 물었다.

“끝까지 읽어보니 어땠어?”

“……몰라.”

“에리리를 비난하는 추악한 폭로 게임이었어? 아니면 눈물 날 정도로 시나리오가 끝내주는 미소녀 게임이었어?”

“글쎄 모른다고 했잖아!”

에리리가 눈물을 흘렸으니, 이 시나리오에 대한 평가는 그 두 방향 중 하나로 압축되었다.

시나리오 내용이 에리리의 과거와 마음을 도려낼 만큼 깊숙이 파고들지 않았는데도 그녀가 울음을 터뜨렸다면, 이것은 끝내주는 미소녀 게임일 것이다.

거꾸로 이 스토리가 재미없다고 생각하는데도 이렇게 울음을 터뜨린 거라면, 에리리의 내면에 지나칠 정도로 깊이 파고든 것이 틀림없으리라.

……참고로, 그 두 조건을 다 만족했다면…… 그것은 에리리에게 있어 너무나도 묵직하면서 소중한 이야기라고 할 수 있지 않을까.

"만약 지금도 에리리가 이 시나리오를 허락할 수 없다면, 아까 약속했던 대로 내가 책임지고 이걸 없애겠어."

"메, 메구미가 그런 약속을 해 봤자, 대표 겸 시나리오 라이터(토모야)가 받아들일 리가……."

"걱정하지 마. 반드시 토모야 군이 받아들이게 만들겠어."

"그러니까, 왜 그렇게 자신만만하게 일심동체인 걸 어필하는 건데……."

에리리의 삐친 듯한 목소리에는 아까보다 어리광이 진하게 어려 있었다.

그것은 이 이야기를 접하면서 용기를 얻었기 때문일 것이다.

그리고, 이런 상황에서도 한 걸음도 물러서지 않는 절친에게 동정『일지도 모르는 감정』을 느꼈기 때문이리라…….

"그런데 실은 에리리와 상의하고 싶은 게 있어."

"나한테 이렇게 수치심을 안겨줬으면서, 또 뭘 시키려는 건데……."

"사실 이 시나리오에는 빠진 부분이 있어. 눈치챘지?"

"……아니."

"실은 이 히로인과 다른 히로인이 화해를 하는 신인데……."

"눈치 못 챘다고 했잖아……."

신작 게임 『시원찮은 히로인을 위한 육성방법(가제)』의 사와무라 에리리(가명) 루트에는 이 게임의 메인 히로인인 카노 메구리가 중요한 역할을 담당한다.

두 사람은 게임 초반부에 만나고, 중반부에서 다양한 우여곡절 끝에 절친이 되며, 그리고 종반부에 에리리(가명)의 꿈, 그리고…… 주인공 때문에 두 사람은 절교하게 된다.

에리리(가명) 루트의 엔딩에서는 그런 문제가 전부 해결됐으며, 또한 주인공과 맺어져서 행복한 결말을 맞이하지만…….

이 시나리오에서는 그녀들이 화해를 하는 장면만이, 시나리오 라이터가 상상력이 부족한 탓에 아직 완성되지 않았다.

"그래서 실은…… 이 부분의 시나리오만은 부대표 겸 서브(내) 라이터가 담당하게 됐어."

"메구미…… 너, 그 말은, 설마……."

이 시나리오가 픽션인지, 논픽션인지는 이 두 사람도 결론을 내지 못했다.

하지만 이제부터 벌어질 『명확한 논픽션』은 『blessing software』에게 있어, 그리고 두 사람에게 있어, 매우 중요한 이야기이며…….

"시나리오를 다 쓰고 나면 보여줄 테니까, 의견 팍팍 내줘. 나, 시나리오 같은 건 처음 써보니까 멋진 조언을 기대할게."

"잠깐 기다려 봐! 너희는 내 과거를 시나리오 소재로 삼은 걸로 모자라, 앞으로 벌어질 일까지 소재로 삼으려는 거야?!"

"아~, 걱정하지 마. 이제부터 소재로 쓰이는 건 에리리만이 아니라 나도 포함되잖아. 정확하게 따지자면 내가 더 많이 소재로 쓰일 거야. 둘이 함께 당하는 거니까 괜찮지?"

"뭐가 괜찮다는 거야?! 수치심을 공유하는 것뿐이잖아!"

"하지만 「우리 둘이라면 극복할 수 있어」 같은 말을 사람들은 자주하잖아. 아, 이거 괜찮네. 히로인의 대사로 시나리오에 넣어야지."

"메구미이이이이이~?!"

"앗, 에리리……."

지금까지 이부자리 위에 마주 앉아서 꼼짝도 하지 않던 두 사람은…….

에리리가 방금 지른 절규를 신호 삼아, 격렬하게 뒤엉켰다.

비명과 웃음소리, 그리고 각종 감정이 뒤섞인 목소리가 새벽까지 울려 퍼졌으며…….

그리고 그 흥분은 두 사람이 이른 아침에 노천온천을 즐기러 갈 때까지 계속되었다.

……뭐, 이때의 상세한 이벤트 텍스트와 이벤트 CG를 보

고 싶으신 분은 올겨울에 배포될 예정인 『blessing software』 최신작 『시원찮은 히로인을 위한 육성방법(가제)』을 구입해주셨으면 합니다.

※ ※ ※

"날달걀! 맛김! 말린 전갱이! 으음~, 여관 아침 하면 바로 요거지!"

"이 지역 특산품을 살려 산에서 나는 식자재도 좀 나왔으면 좋겠지만 말이야."

어제 하루 종일 내리던 비가 드디어 그치고, 이번 여행 들어 처음으로 햇빛이 하늘에서 쏟아지고 있는 오전 여덟 시.

결국 한숨도 자지 않고 밤새도록 이야기를 나눈 두 사람은 지금도 힘차게 아침 식사를 맛보고 있었다.

"저기, 메구미. 오늘 체크아웃한 다음에 어쩔 거야? 로케이션 헌팅? 아니면 쇼핑?"

여관에서 내준 유카타 차림으로, 말린 전갱이를 보며 흥분을 감추지 못하는 금발 트윈 테일 미소녀를, 옆자리의 가족들이 뚫어져라 쳐다보고 있었다. 하지만 어제의 거북한 분위기에 비하면 지금 이 두 사람이 연출하고 있는 광경은 평화롭기 그지없었다.

"글쎄. 선물을 좀 사고 싶지만, 에리리가 스케치해 두고 싶은 풍경이 있다면 로케이션 헌팅을 우선해도 돼.”

“응? 스케치해 둘 풍경이 있는지 없는지 결정해야 하는 건 메구미잖아.”

“어? 왜? 나는『필즈 크로니클』에 대해선 전혀…….”

“무슨 소리야. 내 말은 너희가 만드는 신작의 로케이션 헌팅이야!”

“……저기, 에리리야말로 무슨 소리를 하는 거야?”

그렇다. 평화로웠다. ……방금까지는 말이다.

“글쎄 모처럼 소꿉친구 히로인……이 아니라 신캐릭터 시나리오가 완성됐잖아. 그러니 보너스 애프터 시나리오도 구상해야 하지 않겠어?!”

“으음, 아직 다른 히로인의 본편 시나리오도 완성되지 않았는데…….”

“맞아! 기왕 이렇게 됐으니까 주인공과 단둘만의 온천 여행 이벤트 같은 건 어때? 여행지에서의 해프닝, 싸움, 화해, 노천온천에서의 혼욕, 그리고, 그리고, 밤에는……!”

“……그런 걸 넣으면 전체 이용가 버전을 낼 수 없다고나 할까, 우리가 낼 수는 없다고나 할까…….”

“걱정하지 마! 그렇게 되면 우리 아빠와 엄마한테 팔아달라고 부탁할게!”

“그러면『blessing software』에서 낸 작품이 아니라

『egoistic-lily』 작품 아냐?"

"아, 맞다. 이럴 때가 아니지. 오늘 안에 보너스 시나리오의 에로…… 러브러브 신의 이벤트 러프라도 그려야해!"

"아~ 그건 괜찮아. 이즈미 양이 열심히……."

"하시마 이즈미에게 내……가 아니라 신캐릭터의 그림을 그리게 할 수는 없어! 지금까지 나한테 당한 걸 화풀이 삼아 이상하게 그리거나 트레이싱을 할지도 모르잖아!"

"아니, 저기, 에리리……."

"아~, 그래도 기대되네~. 빨리 발매됐으면 좋겠어~."

"……으음~, 성심성의껏 열심히 그리겠습니다."

여관 유카타 차림에, 말린 전갱이를 보며 흥분한 채, 날달걀밥을 먹어 대고 있는 금발 트윈 테일 미소녀는…….

어제까지의 무거운 분위기를 겨우 몇 분 만에 날려버리려는 것처럼, 자신이 제작에 참가하지 않는(대신 히로인으로서 참전) 게임의 시나리오 구상에 대해 열변을 토했다.

※ ※ ※

"온천 만두는?"

"사람 숫자만큼 샀어. 아빠랑 엄마, 그리고 카스미가오카 우타하에게 줄 것까지 총 세 상자야."

"부모님에게 한 상자씩 드리면 좀 많지 않을까?"

“괜찮아. 그 대신 코사카 아카네에게 줄 건 안 샀거든.”

“아하~.”

여관에서 체크아웃을 한 두 사람은 로케이션 헌팅 겸 관광 삼아 호수 주변을 산책했고, 역 앞 선물 가게에 가서 가격만 물어봤으며, 옆에 있는 메밀국수집에서 점심을 먹었다.

그리고 오후 한 시가 지났을 즈음, 두 사람이 탄 열차가 움직이기 시작했다.

갈 때와 마찬가지로 2인용 좌석에 나란히 앉은 메구미와 에리리는 우선 아까 샀던 선물에 대한 품평회부터 했다.

“정말 즐거웠어~, 메구미.”

“에리리한테서 그런 말을 들을 수 있어서 정말 다행이라고 지금 생각하는 중이야.”

“그, 그렇구나…….”

어제 저녁 식사 때의 분위기가 지금까지 계속 유지되었다면 어땠을지 무심코 상상한 에리리는 신에게 감사하고 싶은 마음이 무럭무럭 솟구쳤다.

“미안해, 에리리. 특히 어제 말이야.”

“미안해, 메구미. 특히 그저께까지 말이야.”

그러니 일단 앞으로는 신(메구미)을 화나게 하지 말자고, 에리리는 마음속으로 맹세했다.

“자아, 돌아가면 바로 일을 시작해야겠네~. 이번에 그린 스케치를 정리해서, 마르즈 측에 프레젠테이션 자료로 제출해야 해."

"나도 시나리오를 정리해야지."

"……미리 말해 두겠는데, 그 음성은 절대 아무한테도 들려주지 마. 처음으로 시나리오를 쓰는 메구미에게 도움이 되라고, 어쩔 수 없이 녹음하는 걸 오케이 한 거란 말이야."

"걱정하지 마. 절대 아무한테도 들려주지 않을 거야."

메구미는 약속의 증표로서, 자신의 스마트폰을 살짝 들어 보였다.

그 안에는 에리리와 메구미가 보낸 비밀스러운 몇 시간…… 한밤중에 그녀들이 나눈 화해의 대화가 음성 파일로서 잠들어 있었다.

그것은 『에리리(가명)와 메구리의 화해 이벤트』의 중요한 플롯으로서 두 사람이 만든 시나리오이며…….

"그리고 이걸 들려줘 봤자 이즈미 양과 효도 양은 짜증만 낼 거야."

"딱히 그렇게 과격한 소리를 한 기억은 없지만 말이야~."

"게다가 토모야 군에게 들려주는 것도 좀 문제잖아."

"……뭐, 그건 그래."

그리고 누구에게 있어서 문제인지는 대해서는 메구미도, 에리리도 언급하지 않았다.

……그리고 누구의 발언이 더 문제가 있는지에 대해서도

말이다.

※ ※ ※

"……."

"……."

그리고, 그로부터 한 시간 후…….

"……메, 메구미, 아직 깨어 있지?"

"으, 응~."

두 사람은 떠올렸다. ……원래는 어젯밤에 취했어야 할 수면을…….

밤샘 직후의 머리와 몸을 인정사정없이 압박하고 있는 졸음을…….

"조, 좀 더 이야기하고 싶은데 말이야."

"나도 그래……."

두 사람은 여관에서 밤새도록 이야기를 나눴고, 오전에도 관광과 쇼핑을 하면서 쉴 새 없이 이야기를 나눴지만…….

그래도 아직 나누지 못했던 이야기를 다 하지 못했다는 사실 때문에 불만을 느끼고 있는 것 같았다.

"도쿄에 도착하면, 이케부쿠로 근처에서 저녁이라도 같이 먹을까 했는데~."

"그건…… 거기 도착했을 때의 우리 상태를 보고 결정하지 않을래?"

"오케이……. 그럼 나는 한숨 잘게……."

"응……. 일단 도쿄에 도착할 때까지는 눈 좀 붙이자~."

하지만 결국 몰려오는 졸음을 이겨 내진 못했다.

두 사람은 거의 동시에 눈을 감더니, 거의 동시에 고른 숨소리를 내며 잠에 빠져들었다.

하지만 피로와 졸음 덕분에, 손을 잡은 채 잔다는 약간 부끄러운 짓을 개의치 않고 있는 점은 서로에게 있어 다행일지도 모른다.

※ ※ ※

"……."

"……."

그리고 그로부터 한 시간이 지났다.

하지만, 그 한 시간 동안 두 사람 사이의 관계에는 별다른 진전이 없었다.

"……."

"……."

열차가 동쪽으로, 목적지를 향해 나아갈수록 하늘이 어제와 마찬가지로 서서히 흐려지는 가운데, 두 사람은 어깨를 맞댄 채 깊은 잠에 빠져…….

"……저기, 에리리."

"…………."

"에리리……?"

"…………."

아니, 그중 한 명(메구미)은 천천히 눈을 뜨더니 졸린 표정으로 주위를 둘러보았다.

그러자, 자신의 어깨에 기댄 채 여전히 잠을 자고 있는 금발 절친이 눈에 들어왔다.

"저기, 에리리……."

자신의 어깨에 놓인 에리리의 머리 위에 자신의 머리를 살며시 댄 메구미는 상대의 귀에 속삭이듯 말했다.

"지금부터 내가 하는 말, 절대 듣지 마."

이것이, 정말, 마지막, 원망…….

원래라면 어젯밤, 이부자리 안에 들어가, 졸음에 휩싸인 채, 했을 말…….

"에리리와 카스미가오카 선배가 나갔을 때…….

정말, 정말, 괴롭고, 아프고, 분했어."

"능력 면에서도, 동료로서도, 거대한 존재였던 두 사람이…….

……서클을, 토모야 군을, 그렇게 아끼던 두 사람이 사라

졌다는 게…….
도저히, 믿기지 않았어."

"토모야 군과 나는 두 손뿐만 아니라, 두 발도…….
아니, 뇌와 심장도, 떨어져 나간 듯한 기분이었어.
그만큼, 두 사람은 『blessing software』의 거의 전부였던 거야."

"우리는 이제 작년처럼, 엄청난 게임을 만들지 못할지도 몰라.
카시와기 에리도, 카스미 우타코도 없는 『blessing software』는…….
그저, 흔하디흔한, 취미 삼아 게임을 만드는 서클이 되어 버릴지도 몰라."

"……음."

"그래도, 그래도 말이야…….
우리는, 앞으로도, 즐겁게, 괴롭게, 힘들게, 기쁘게, 게임을 만들 거야."

"두 사람처럼 크게 날갯짓하지는 못할지도 몰라.

레벨 자체가 완전히 다를지도 모르지만…….”

“변변찮은 서클 대표(토모야 군)와 함께…….
아무짝에도 쓸모없는 서클 부대표(나)는 노력할 거야.”

“아니, 우리 둘만이 아냐.”

“효도 양의 노래와 곡은 점점 게임과 조화를 이루고 있어.
아마 그 점만큼은 두 사람의 게임에도 지지 않을걸?”

“그리고 이즈미 양이 우리 동료가 되어줬어.
그 애, 에리리를 엄청 의식하면서, 열심히 뒤쫓고 있어.
그러니까 에리리도, 추월당하지 않도록 조심해.”

“……뭐, 우리 서클 멤버들은 이런 느낌이야.”

“작년에 비하면 미숙할지도 모르지만…….
즐거움과 기쁨만큼은 절대 밀리지 않을걸?”

“에리리가 세상에서 가장 행복한 일러스트레이터가 된다면…….
나는 세상에서 가장 행복한 메인 히로인이 될 거야.”

"……뭐, 게임 안에서 말이지만."

"그리고 언젠가…… 언젠가, 그때가 온다면…….
또 같이 창작 활동을 하자. 응?"

"만약 두 사람이 마음 가는 대로 뭔가를 만들고 싶어진다면…….
일로서는 도저히 할 수 없는 일이 하고 싶어진다면…….
『blessing software』를 찾아와줘. 언제든 환영할게."

"그리고, 만약에 토모야 군이 인정을 받아서 큼지막한 일을 맡게 된다면…….
그런, 꿈 같은 일이, 만약 일어난다면…….
두 사람이, 『우리』를 도와줬으면, 정말 기쁘겠어."

"……끝까지, 안 들어줘서, 고마워."

"앞으로도, 잘 부탁해, 에리리.
……그럼, 잘 자."

그 마지막 말은 졸음으로 가득 차 있었다.

하지만 메구미는 끝까지 말을 잇더니, 마치 기절하기라도 한 것처럼 눈을 감으면서 그대로 곤히 잠들었다.

메구미는 자신에게 기댄 에리리에게 그녀 또한 기댄 채, 열차의 흔들림에 몸을 맡겼다.

"……."

"……."

그리고 몇 분 후…….

메구미가 눈을 뜨지 못할 만큼 완전히 잠에 빠져들었다는 확신이 들 만큼 시간이 흘렀을 즈음…….

"왜, 자기가 토모야와 계속 함께 있을 거라는 전제로 이야기를 하는 건데……."

그런 원망 어린 한마디가 어딘가에서 들려왔다.

에필로그

—소녀들은 아리아케(코믹마켓)를 향한다—

“메구미 씨, 빨리 가죠. 신호가 바뀔 것 같단 말이에요.”

“기다려, 이즈미 양……. 좀 진정해. 아직 안 늦었어.”

6월 둘째 주, 토요일.

비가 쏟아졌던 지난주와 달리 구름 한 점 없을 만큼 날씨가 좋은 도쿄는, 기상청의 면밀한 조사에 따르면 아직 장마가 시작될 기색조차 보이지 않는 것 같았다.

조금만 움직여도 땀이 날 만큼 더운 초여름의 오후 다섯 시경.

아직 해가 높이 떠 있기에 눈을 가늘게 뜨며, 아키하바라 역에 도착한 두 소녀…… 카토 메구미와 하시마 이즈미는 교차로를 지나더니 그대로 목적지로 향했다.

“하, 하지만, 하지만, 저는 라이브 같은 건 처음 보러 가요……. 밤샘 대기 금지라거나, 첫차 이동 팀이라든가, 정리권 배포라든가, 입장 제한이라든가, 두 시간 대기라든가, 그런 룰도 전혀 몰라요."

"……그런 건 없으니까 안심해. 그리고 우리는 관계자니까 행렬이 아무리 길어도 바로 입장할 수 있을 거야."

"그, 그것도 좀…… 그렇게 특별 대접을 받으며 바로 들어가는 사람을 보면 일반 대기자들은 엄청 짜증 날 거예요~."

"……이즈미 양, 서두르자."

두 사람의 대화로도 알 수 있다시피, 오늘, 이날, 이 시간에 두 사람이 아키하바라에 온 것은 라이브를 보기 위해서다.

"그래도 미치루 씨는 정말 대단하네요. 드디어 단독 라이브까지 하게 됐잖아요!"

그렇다. 오늘이 바로 애니송 계열 걸즈 밴드 『icy tail』의, 그리고 보컬리스트 효도 미치루의, 기념비적인 첫 단독 라이브 당일인 것이다.

"응. 그래. 기대돼."

"기대뿐만 아니라 엄청 긴장돼요~."

"이즈미 양이 긴장해 봤자 아무 소용 없지 않아? 무대에 서는 건 밴드 멤버들이잖아."

"제가 서는 게 아니니까 긴장되는 거라고요~. ……미치루 씨, 괜찮을까요. 실수를 하고 「에헤헤」 하고 웃으며 얼버무리지는 않을까요."

"괜찮아. 효도 양은 노래할 때만 『완벽하게 딴사람』이 되거든."

"……메구미 씨는 평소에 효도 씨를 얼마나 낮게 평가하는 거예요?"

"낮게 평가할 리가 있니. 『사생활 쪽은 제쳐 두고』 음악만큼은 최고란 말이야……."

"……아까부터 미묘하게 의미심장한(『』로 감싼) 부분이 엄청 불온하게 들리는데요."

"그렇지 않아~. 이즈미 양은 생각이 지나치다니깐~."

"뭐, 뭐어, 아무튼, 이 라이브를 매니지먼트한 사람이 오빠라는 것도 불안 요소기는 해요. 분명 분위기를 제대로 띄워주기는 하겠지만, 너무 띄운 나머지 손님들 사이에서 문제가 발생하지는 않을까요……."

"…………자아, 이즈미 양. 서두르자."

"아, 예? 메구미 씨……?"

뭐, 이렇게 철저하게 무시당하는 매니저(이오리)에 비하면 쓴소리 좀 듣는 보컬리스트(미치루)에게는 아직 애정이 있는 것 같다는 골때리는 진실은 제쳐 두기로 하고…….

반년 전에 이곳에 와봤던 메구미는 이즈미와 함께 모퉁이를 몇 번 돌아 골목으로 들어가더니…….

"어……?"

"우와…… 이럴 줄 알았다니까요~."

그곳에 줄지어 서 있는 사람들을 보면서 탄성을 터뜨렸다.

※ ※ ※

사람들이 북적이는 아키하바라 거리를 지나 목적지인 건물 안에 들어가 보니, 그곳 또한 수많은 사람들로 시끌벅적했다.

하지만 그건 아직 애교 수준이었으며, 몇 시간 후면 귀청이 찢어질 것 같은 큰 음량으로 가득 찰 것이다.

그것은 거리의 소음과는 다르지만, 사람들의 파워와 에너지가 자아내는 소리라는 점에서 본다면 같을지도 모른다.

뭐, 그런 과거(4권)의 표현을 모방(베낀)한 정경 묘사로 어물쩍 넘어갈 수 있는 이곳은 바로 아키하바라에 있는 라이브 하우스 『CLUB G-MINE』이다.

“자, 잠깐만! 관객 엄청 많아! 게다가 다들 서서 보고 있어!”

그곳의 대기실에 평소처럼 촐싹대며, 그리고 평소보다 흥분한 채 뛰어 들어온 사람은 『icy tail』의 기타 담당 『토키』, 히메카와 토키노다.

“에이, 여기는 원래 전부 입석이잖아~.”

그리고 평소보다 흥에 겨운 토키노를 약간 어이없다는 표정으로 맞이한 사람은 『icy tail』의 베이스 담당 『에치카』, 미즈하라 에치카다.

"……그리고 관객 숫자는 중요하지 않아. 우리는 그저 최선을 다할 뿐이야."

그리고 에치카의 옆에서 눈을 감은 채 조용히 있는 사람은 『icy tail』 리더이자 드럼 담당인 『란코』, 모리오카 란코다.

"자아, 이제 공연이 시작될 때까지 30분밖에 남지 않았는데……."

그리고 대기실 안쪽 벽에 등을 맡긴 채 그녀들을 지켜보고 있는 사람은 『icy tail』의 현 매니저 『핫시』, 하시마 이오리였다.

"손님 숫자는 히메카와 양이 말했다시피…… 사실 너희한테는 일부러 말해주지 않았는데, 티켓도 당일에 다 팔렸어."

"우, 우와우와, 그게 사실이야? 그, 그럼 혹시, 야후 옥○에서 프리미엄 붙은 가격으로 되팔리고 있다거나?!"

"그리고 신분증명서 체크를 통한 되팔이 티켓 구매자 입장금지, 그 탓에 아비규환이 벌어진 가운데, 티켓이 매진됐는데도 텅텅 빈 객석 앞에서 쓸쓸히 라이브를 해야 한다거나?"

"……그렇게 악랄한 상황은 벌어지지 않을 거라고 생각해."

"하, 하지만, 이럴 줄 알았으면 좀 더 큰 라이브 하우스에서 해도 됐겠네!"

"맞아~, 좀 더 시간을 두고, 더 철저하게 준비해서 말이야~."

"……응. 그것도 괜찮았을지도 몰라."

……방금까지만 해도 첫 단독 라이브라 겁먹어서 『티켓, 1인당 스무 장은 팔아 치우는 거야~』라든가 『나, 친구가 그렇게 많지는 않아!』라든가 『역 앞에서 라이브 의상 차림으로 전단지 뿌릴까?』 같은 소리를 하던 멤버들은, 생각지도 못한 사태가 벌어지자 아까와는 정반대되는 이유로 당황했다.

하지만…….

"아냐. 여기가 아니면 의미가 없어……."

"뭐?"

"아……."

"……밋치."

어찌 된 영문인지 항상 말수가 적은 란코보다도 더 조용하던 장신의 소녀가, 결의에 찬 표정을 지으며 천천히 입을 열었다.

그녀는 바로 『icy tail』 보컬 & 기타 담당 『밋치』, 효도 미치루다.

"우리의 첫 단독 라이브는 우리가 처음 라이브를 했던 곳에서 하기로…… 처음부터 정해 뒀었어."

의자에서 일어선 그녀는 평소 나태하고 느긋하던 성격과 대조적일 만큼 단호한 태도로 가슴에 손을 대더니, 다른 세 사람을 쳐다보았다.

"……그럼 효도 양. 뒷일을 부탁해."

이오리는 그녀의 결의에 찬 표정을 보더니, 그대로 대기실에서 나갔다.

그는 어느 라이브에서도, 어느 라이브 하우스에서도, 예전 매니저(토모야)처럼 그녀들을 부추기거나, 독려하지 않았다.

"이유는 여러 가지야. 첫 번째는 보답…… 여기는 문화제 밴드에 불과했던 우리를 받아들여준 장소잖아."

"그러고 보니 그때 우리는 완전 들러리였어."

"맞아. 그뿐만 아니라 보결인 우리를 아는 손님이 한 명도 없었잖아~."

"……그야말로 적진에 온 것 같았어."

그것도 그럴 것이, 그녀들을 부추길 필요가 없었다. 독려할 필요도 없었다.

반년 전과 달리, 『icy tail』은 직접 서로를 부추기고, 독려하며, 두 발로 일어설 수 있었다.

"두 번째는 좋은 기운을 받자는 거야. ……이곳은 아마추어나 다름없던 우리의 플레이에 마음껏 호응해줬던, 우리를 띄워줬던 장소잖아."

"지금 생각해보니 처음부터 반응이 좋았어."

"뭐, 첫 곡이 좋았잖아~."

"……확실히 운수가 좋은 곳일지도 몰라."

그것은 어느새 그녀들 사이에서 싹튼 문화였다.

그리고 그 씨앗은 예전 매니저가 심어 둔 것이다.

"세 번째는 선언…… 오늘, 이 자리에서, 우리 『icy tail』은 메이저를 목표로 삼을 거라는 걸 알리러 온 거야."

"CD 만드느라 정말 힘들었어."

"맞아~. 곡을 만들어야 하는 녀석이 추가 시험 때문에 시간을 내지 못했잖아~."

"……모든 곡이 완성된 건 수록 이틀 전이었지. 정말……."

"좋은 이야기 하고 있으니까 다들 찬물 끼얹지 마~!"

그래서 새 매니저(이오리)는 매니지먼트와 프로듀스만 전념했다.

하지만 그렇기 때문에 그는 그 『매니지먼트와 프로듀스』에 모든 능력을 할애할 수 있었던 것이다.

『icy tail』의 첫 단독 라이브 정보는 이 업계와 관련된 모든 사람들에게 두루 전해졌다.

판매용으로 준비한 CD에서는 초회 한정판 특전인 『하시마 이즈미가 그린 일러스트 카드』와, 통상판 특전인 『icy tail 코스프레 브로마이드』를 둘 다 준비한다는 악랄함도 발휘했다.

『icy tail』의 첫 단독 라이브에 많은 사람들이 모여든 것은 분명 그녀들의 실력 때문이기도 했다.

하지만 그게 다가 아니라는 사실을, 그녀들도 알고 있었다.

……그러니 『icy tail』이 앞으로 얼마나 유명해지더라도 이

새 매니저가 있는 한, 『코스프레 애니송 걸즈 밴드』라는 칭호는 그녀들에게서 떨어지지 않으리라.

"뭐, 그러니까…… 오늘도 최선을 다하자! 관객들을 마음껏 즐겁게 해주고, 우리도 마음껏 즐기는 거야!"

미치루가 손을 앞으로 내밀었다.

그러자 토키노, 에치카, 란코도 미치루와 손을 포갰다.

그렇기에, 미치루는 안심하며 평소처럼 고함을 질렀다.

"그럼 다들 준비 오케이지? ……『icy tail』, 가자~!"

""""오~!""""

※ ※ ※

"아, 왔구나, 토모야 군."

"토모야 선배! 수고 많으세요!"

"이게 다 뭐야? 엄청난걸……."

『공통 루트의 시나리오를 지금 가능한 한 써 둔다』는 뜨거운 열의(칭찬 이외에 다른 뜻은 없음) 때문이랄까, 탓이랄까…… 아키 토모야는 공연이 시작되기 5분 전에야 사촌의 기념비적인 무대를 보러 이 라이브 하우스에 왔다.

그 즈음에는 줄지어 서 있던 수많은 손님들도 전부 입장이 완료됐지만, 그 탓에 이 라이브 하우스에선 엄청난 사태가 벌어지고 있었다.

전원 입석에 백 명 이상의 손님이 들어올 수 있을 만큼 넓은데도 불구하고, 이곳에는 엉덩이를 붙일 만한 틈도 없었다. 또한 상품을 사려는 손님이 이동할 때마다 공연을 얌전히 기다리고 있던 손님들까지 휘말리는 대참사가 벌어졌다.

"200명……은 될 것 같은데?"

"토모야 군이 매니저를 할 때는 이렇게 많은 손님을 모으지 못했지?"

"그래! 역시 이오리는 천재 동인 건달이라니깐! 『반드시 손님들로 가득 채우겠어』라고 지껄이더니, 별것 아니라는 듯이 그걸 해냈잖아. 정말……."

"……………………."

"……메, 메구미?"

"메구미 씨?"

토모야를 약간 비꼬았더니 당사자가 이오리를 칭찬하는 뜻밖의 사태가 벌어지자, 메구미는 자신이 예상했던 수준의 효과를 보지 못했다고 냉정하게 판단하며, 침묵을 통해 방금 자신이 했던 발언을 얼버무렸다.

그렇다. 그것은 어디까지나 『냉정한 판단』일 뿐, 메구미가 이 대화의 흐름이 마음에 들지 않아서 묵살한 것은 아니다. 그러니 독자 여러분께서는 오해하지 말아주셨으면 한다…….

"그런데 메구미."

"왜? 토모야 군."

그 분위기를 눈치챈 것인지, 아니면 그저 본론에 들어간 것인지는 모르겠지만…….

토모야는 화제를 바꾸더니 두 달 전부터 질질 끌고 있던 『문제의 그 일』에 대해 언급했다.

"너, 지난주에 에리리와 만났다면서?"

"……아~, 응."

"그래서 어떻게 됐어? 이번에야말로 제대로 이야기를 나눈 거야? 싸우지는 않았어? 화해는 했지?"

"토모야 군이 에리리의 보호자처럼 구니까 평소보다 더 짜증 나네."

"……너희가 만날 자리를 세팅했다가 직전에 취소당하는 일이 몇 번이나 반복되었는데도, 굴하지 않고 여러모로 노력한 내가 짜증 난다는 건가요. 그런 건가요. 그거 정말 죄송하네요."

……참고로 이 점에 대해서만큼은 토모야가 옳게 느껴지는 것은 아마 기분 탓이 아닐 것이다.

뭐, 어찌 되었든 간에 최종적으로는 메구미가 깔끔하게 무시하고 넘어간다는 흐름만큼은 바뀌지 않으니 딱히 아무래도 상관없지만 말이다.

"그런데 에리리한테서 무슨 이야기 못 들었어?"

"그게 말이야. 서클에 관한 건 메구미한테 들으라면서 계속 입을 다물고 있거든……."

"그랬구나. 뭐, 이렇게 사람들이 많은 곳에서 나눌 이야기가 아니니까 나중에 이야기하자."

"으, 응……."

토모야는 투덜거리면서 물러났지만…….

그래도 이번만큼은 둔감 중증 오타쿠 귀머거리 우유부단 저질 주인공(개인적인 감상입니다)인 그도 좋은 징후를 느낄 수 있었다.

첫 번째는 메구미에게 물어보라고 했던 에리리의 태도와 표정, 어조가 그 징후를 알려줬다.

평소 타인에게 보여주는 대외적인 미소도 진심이 묻어나는 것처럼 보였으며, 일 이외의 다른 무언가에서 비롯된 충실감이 그녀에게서 느껴졌다.

그리고 또 하나는 나중에 이야기하자고 말한 메구미가 분위기를 통해 말하고 있었다.

또한, 마치 토모야가 기뻐하는 표정을 볼 자신이 있다는 것 같은, 약간 장난기 어린 표정을 짓고 있었다.

요즘 들어 조금씩 보여주던, 멍함 속에 존재하는 진한 감정을 방금 그 대화에서 느낀 것이다.

둔감 중증 오타쿠 귀머거리 우유부단 저질 주인공 주제에 말이다.

"아, 이제 시작하네."

"응……."

"드, 드디어…… 우, 우와아, 긴장돼요!"

어둑어둑한 무대에 세 소녀가 나오더니, 각자의 자리에 선 후…….

드럼을 담당하는 여자애…… 란코가 스틱을 휘두르고, 토키의 기타와 에치카의 베이스가 그 리듬을 따라가자, 주위의 술렁거림이 순식간에 환성으로 바뀌었다.

※ ※ ※

"다드으으을~! 오늘은 밤새도록~ 함께하는 거야아아아~!"

그리고 마지막으로 밋치가 무대에 뛰어 올라오며 고함을 지르자, 그 환성이 폭발적으로 커졌다.

"아, 이 노래는 저도 알아요! 으음, 으음……."

"이거, 『cherish you』 아냐?"

"처음부터 오리지널이냐……."

드디어 시작된 『icy tail』 단독 라이브의 오프닝 곡은 세 사람에게 있어, 아니, 『blessing software』에게 있어 매우 익숙한 곡이었다.

하지만 그것은 평범한 애니메이션 오타쿠들에게는 익숙하지 않은 곡이었다…….

『cherish you』…….

반년 전, 이 라이브 하우스에서 연주되었던, 『icy tail』의 첫 오리지널 곡이다.

그때도 반응이 좋기는 했지만, 그건 어디까지나 분위기가 꽤 달궈진 후에 오리지널 곡을 부를 거라는 걸 밝혔기에 다들 긍정적인 반응을 보여준 것이었다.

그런데 이번에는 곡명도, 오리지널 곡을 부를 거라는 것도 밝히지 않은 채, 그리고 이 라이브의 성공 여부를 가장 좌우하는 오프닝에 이 노래를 부른 것이다. 애니송 라이브치고는 꽤나 위험한 도박…….

……이었지만…….

미치루가 완벽한 타이밍에 노래를 시작한 순간, 형광봉으로 된 꽃이 일제히 피어나며 환성이 더욱 커졌다.

이 마이너한 곡을 아는 관객도, 모르는 관객도 리듬을 타고 있었다. 이 라이브 하우스 전체가 하나가 된 것 같은 분위기가 형성되었다.

이곳에 있는 200여 명 모두가 흥이 많은 사람들인 걸까.

아니면 『icy tail』의 공연에 자주 오는 단골들인 걸까.

어느 쪽이든 간에 확실한 것은, 이렇게 열렬한 팬들을 공연장에 오게 한 그녀들이야말로 오늘의 승리자라는 것이다…….

그리고 마지막에는 토모야는 물론이고 라이브에 처음 와 봤다는 이즈미, 그리고 흥이 많은 편이 아닌 메구미 또한 이 분위기에 전염당한 것처럼 손이 벌게질 때까지 박수를 치고 있었다.

※ ※ ※

"왠지 그때가 생각나네."

"언제 말이야?"

"반년 전에, 이곳에서. 이렇게, 같은 무대를 올려다보며, 같은 노래를 들었던 게 말이야."

"……그렇, 구나."

라이브가 시작되고 몇 분 후…….

오프닝 곡이 드디어 끝나려고 할 즈음…….

라이브 하우스 가장 뒤편에는 이 분위기에 미처 편승하지 못한 것 같은 두 송이의 꽃이 피어 있었다.

"아, 찾았다……. 토모야랑 메구미, 그리고…… 하시마 이즈미?!"

"당연히 같이 있겠지. 같은 서클의 멤버니까 말이야."

"어떻게 할래? 우리도 합류할까?"

"나는 됐어. 가 봤자 분위기가 미묘해질 테니까……. 특히 카토 양과 나 사이의 분위기가 말이야."

"뭣하면 내가 징검다리 역할을 해줄까? 내가 사이에 끼면 메구미도 차분하게 이야기 정도는 나눌 거라고 생각해."

"……두 달 동안이나 그녀와 절교 상태로 지내다 지난주에 겨우 화해했으면서, 잘난 척이 꽤 심하네."

누군가가 그 존재를 알게 됐다면, 무대에 뒤지지 않을 만큼 주목을 모을 것만 같은, 금발 트윈 테일과 흑발 롱 헤어 미녀였다.

사와무라 스펜서 에리리와, 카스미가오카 우타하.

"게다가 오늘 여기에 온 건 윤리 군을 보기 위해서가 아냐."

"그럼 뭐가 목적인데?"

"……공연 시간에 라이브 하우스에 온 사람의 목적이라면 뻔하잖아?"

※ ※ ※

"안녕하세요~. 『icy tail』이에요오오오오~!"

오프닝 곡을 끝낸 미치루…… 밋치가 주먹을 치켜들자, 거의 모든 관객들이 라이브 하우스가 뒤흔들릴 정도의 환성을 질렀다.

"오늘 우리 첫 단독 라이브를 보러 와줘서 정말, 정말, 정말, 고마워어어어어~!"

첫 곡만으로도 공연의 성공이 약속된 듯한 이 라이브 하우스의 분위기에 뒤지지 않을 만큼, 밋치의 흥은 하늘을 찌를 것처럼 치솟아 있었다.

"이야~, 왠지 신기하네~! 사람이 엄청 많이 왔어~! 저기 말이야. 오늘은 우리밖에 안 나오거든? 정말 괜찮겠어?"

그리고 밋치가 느닷없이 그런 농담을 하자 잔잔한 웃음소리가 이곳을 가득 채우면서, 흥분뿐만 아니라 따뜻한 분위기마저 형성되어 갔다.

그 말에 답하듯 공연장 곳곳에서 「괜찮아~」나 「icy tail 최고~!」 같은 말이 터져 나오면서, 쌍방향 커뮤니케이션도 시작됐다.

"그래도 이 라이브 하우스는 정말 좋다~. 객석과 무대가 가까워서 가장 뒤편에 있는 사람의 얼굴도 잘 보이니까……. 저기, 진짜로 잘 보이지~?"

밋치가 그렇게 묻자, 그녀가 자신을 보고 있다고 생각한 뒤쪽의 팬들이 또 일제히 환성을 질렀다.

하지만 미치루의 시선과 그 질문은, 분명 가장 뒤편에 있는『단 두 사람』을 향하고 있었다.

※ ※ ※

"어, 효도 미치루가 표를 보내줬어?"

"그래."

별생각 없이 우타하를 따라왔던 에리리는 그녀가 내민 티켓이 어디서 난 것인지, 지금 이 순간까지도 전혀 눈치채지 못했다.

하지만 방금 미치루가 보낸 시선과 말은 방금 가볍게 손을 흔든 우타하에게 반응하고 있는 것처럼 보였다.

"그, 그 애가 어째서 우리에게 표를 보낸 건데?"

"글쎄."

한 달 전, 오차노미즈에서 미치루와 만났다는 사실을 설명하기 귀찮아서 비밀로 하고 있던 우타하는, 의아해하는 에리리에게 수수께끼 같은 미소를 지을 뿐이었다.

"와줘서 고마워…….
오늘은 끝까지 듣고 가!"

그리고 미치루 또한 뭔가를 알고 있는 듯한 우타하와, 영문을 모르겠다는 표정을 짓고 있는 에리리를 쳐다보며, 알기 쉬운 메시지를 전했다.

"이게, 나의…… 선전 포고야!"

"윽……."

"아무래도 방금 말한 대로인 것 같네……."

그 도발을 한 직후에 두 번째 곡이 시작되자, 공연장은 엄청난 환성으로 가득 찼다.

이번에는 지난 시즌 최고의 작품으로 칭송받고 있는 오리지널 애니메이션의 절규 타입 주제가를 불렀다. 그 절묘한 선곡은 흥분한 오타쿠들이 더욱 격렬하게 형광봉을 흔들게 만들었다.

이 공연장에 있는 이들이 하나가 되어 『icy tail』을 고조시키고, 『icy tail』 멤버들이 손님들을 더욱 흥분시킨다는 끝없는 사이클이 계속되는 가운데…….

"그리고 방금 그걸로…… 그녀가 눈치챈 것 같아."

"뭐? 아……."

그 사이클에서 유일하게 빠져나와, 미치루와 우타하의 시선 교환을 눈치챈 인물이 이 공연장 안에 딱 한 명 존재했다.

"메구미……."

토모야와 이즈미가 다른 관객들과 완전히 하나가 되어 형광봉을 흔드는 가운데…….

토모야의 옆에서, 마치 시간이 멈춘 것처럼 이쪽을 지그시 쳐다보고 있는, 쇼트 보브 헤어스타일의 메인 히로인…….

이윽고 이쪽과 시선이 마주친 그녀는 뭔가를 떨쳐 내듯 힘찬 미소를 짓더니, 주위의 분위기를 깔끔하게 무시하며 두 사람을 향해 고개를 숙였다.

메인 히로인 그 자체 같은 행동거지는 마치…….

“……왠지 카토 양이 본처 행세하고 있는 것 같아서 짜증 나.”

“그 점에 관해서는 동의할 수밖에 없을 것 같아. ……미안해, 메구미.”

※ ※ ※

그 후로 공연은 두 시간 넘게 계속되었다.

하지만『icy tail』의 무대는 초반부와는 비교도 되지 않을 만큼 하늘 높은 줄 모르고 뜨거워지고 있었다.

과거의 유명 애니송, 최근에 히트했던 타이틀, 그리고 아는 사람만 아는 명곡(하지만 애니메이션은 히트하지 못했음) 등…….

그 곡들을 알든 모르든, 오늘 이 자리에 모인『뭘 좀 아는』관객들은 체력이 한계에 도달할 때까지『icy tail』을 따라갔다.

이렇게 좋은 흐름이 만들어지는 데에는, 관객들의 목이 쉴 즈음 발라드 타입 노래를 끼워 넣은 절묘한 선곡 리스트도 크게 공헌했을지도 모른다.

그것은 이오리를 포함한『icy tail』멤버 전원이 온 힘을 다해 고민한 끝에, 오늘을 위해 만들어 낸 최고의 레시피였다.

이 좋은 흐름을 타며, 때때로 연주되는 오리지널 송 또한 팬들은 온 힘을 다해 받아줬다.

그것도, 라이브 종료 후에 재개되는 상품 판매 때 팔 CD가 부족하지는 않을지 걱정될 정도로 말이다…….

그리고, 드디어…….

※ ※ ※

"그럼 다음 노래가 마지막 곡이야……."

그 말을 들은 관객들이 「에에에에에에에에~!」하고 외치는 광경은 어느 라이브에서나 빠짐없이 벌어지지만…….

하지만 그들의 목소리가 쉰 덕분에, 그 한탄에는 진심이 어려 있다고 믿을 수 있었다.

"다들, 오늘 이렇게 와줘서 고마워……."

분명 앙코르를 하겠지만, 그래도 『icy tail』의 첫 단독 라이브의 마무리는 밋치의 MC로 끝날 게 분명했다.

그렇기 때문에 다들 그녀를 놀리거나 환성을 보내지 않았으며, 무대 위에 있는 그녀들을 조용히, 그리고 진지하게 응시했다.

"우리가 처음으로 무대에 서고 얼추 반년 만에…….

처음으로, 이렇게 『icy tail』만으로 라이브를 개최할 수 있게 되었어."

하늘거리는 메이드복을 입은 밋치가 진지한 미소를 지으며 관객들에게 말했다.

아마 다른 장소에서 저런 복장으로 저런 태도를 취했다면 위화감이 느껴졌을 것이다.

"누군가는 우리가 순식간에 여기까지 올라왔다고 생각할지도 몰라.

그리고 그런 우리가 운이 좋았다며 부러워할지도 몰라."

하지만 밋치는, 그리고 『icy tail』은 그걸 개의치 않았다.

거부하지도, 아양을 떨지도 않으며, 이대로 나아갈 것이다.

"그래도 우리가 이날을 반년 동안 손가락만 빨며 기다렸던 건 아냐.

불러만 주면 어디든 가서 노래를 불렀고, 불러주지 않아도 가서 노래를 불렀어.

몇 번이나 너희에게 우리 노래를 들려주고, 너희와 함께 성장한 끝에…….

겨우, 이날을 맞이할 수 있었어."

반년 전, 오타쿠와 커뮤니케이션을 취하지 못해 긴장할 대로 긴장했던 미치루는 이제 이곳에 존재하지 않았다.

이 자리에 있는 이는 애니송 계열 노래를 부르는 것을, 코스프레를 하는 것을, 전부 자신의 무기와 개성으로 받아들이며, 진심으로 그 길을 나아가려 하는 『크리에이터』였다.

"물론, 이 반년 동안 순조롭기만 했던 건 아냐…….

지금 이 자리에 있는 『icy tail』의 멤버들은 지금도 함께하고 있지만…….

그때 우리와 함께했던 모든 이들이 지금도 쭉 함께하고 있는 건 아냐."

그러니 그녀의 말은 의상이나 상황 같은 것은 상관없이, 전하고 싶은 상대에게 정확하게 전해졌다.

"그건, 모두 다 같은 곳에 머물 수 없는 이상, 어쩔 수 없는 일이야.

그렇잖아? 우리도 같은 곳에 머물고 있지는 않아.
목표가 있으니까, 양보할 수 없는 게 있으니까 말이야."

자신의 시선이 향하는 곳에 있는 두 사람과, 세 사람에게…….

"우리가 데뷔할 계기를 만들어준 사람들.
우리와 함께, 곡과, 가사와, 이야기를 만들어준 사람들.
우리의 비주얼을 만들어준 사람들……."

자신과 마찬가지로 『크리에이터』인 사람들에게…….

"좀 쓸쓸하지만, 그리고 좀 슬프지만…….
그래도, 그 편이 옳을 거야."

지금은 다른 길을 걷고 있는 『친구』들에게…….

"왜냐면, 설령 다른 길을 걷고 있더라도…….
다들, 앞으로 나아가고 있잖아."

그리고, 지금도 같은 길을 함께 나아가고 있는 『전우』들에게…….

"그러니 마지막 곡은…… 모두에게 바칠게.

지금, 이렇게 우리의 곁에 있어주는 사람들에게…….

그리고, 우리의 곁에 있지 않는 사람들에게, 사랑을 담아서……."

이즈미의 눈에 눈물이 맺혔다.

메구미는 따뜻하기 그지없는 표정을 지었다.

그리고 토모야는 쓸쓸함과 기쁨이 섞인 쓴웃음을 지었다.

"앞으로도 각자의 위치에서 열심히 하자!"

에리리는 자신이 어떤 표정을 짓고 있는지 알지 못했다.

그리고 우타하는…… 고개를 숙여서, 자신의 표정을 아무에게도 보여주지 않았다.

"그럼 마지막 곡의 제목을 다 같이 외치자~!

다들 알지? 그렇지?

오늘 발매된 우리 데뷔 앨범의 타이틀이야~!

그럼~. 하나, 둘, 셋~!"

마지막으로 밋치가 객석을 향해 마이크를 내밀자…….

관객들은 그녀의 도발에, 있는 힘을 다해 응해줬다.

"Icy Tail YO!(사랑해!)#4"

※ ※ ※

라이브가 끝나고, 30분 후…….

라이브 하우스 밖에서 아직 여운에 잠겨 있던 관객들이 아쉬운 듯이 오늘 공연에 대한 감상을 이야기하고 있는 가운데…….

"사가노 후미오를 만났어?! 게다가 옆 부스였다니?!"

"아, 정확하게는 말하자면, 직접 만난 건 아니라고나 할까……."

"그 사람 분명 『순정 헥토파스칼』의 삽화를 맡고 있었지?"

『이제 멤버들과 뒤풀이할 거라서 기다리는 중』이라는, 다른 팬들이 들으면 부러워 죽을 것 같은 예정이 있는 토모야 일행은 이곳에서 최근 일주일 동안 각자가 체험했던 일에 대해 이야기했다.

"게다가 책도 교환했다고? 그게 이거야? 우와~! 이즈미, 대단해!"

"아, 책을 교환한 건 오빠예요……."

#4 Icy Tail YO! 『icy tail』과 일본어로 사랑한다는 말인 『愛してる』가 발음이 비슷한 점을 이용한 언어유희.

"저기, 토모야 군. 아직 보고 있으니까 페이지 넘기지 마."

그중에서도 서클의 외면적인 사건으로서는 역시 이즈미의 이벤트 참가 에피소드가 상당히 충격적이었다.

"그건 그렇고, 정말 좋다……. 사가노 선생님은 항상 책을 조금만 내는 데다 위탁 판매도 안 해서, 중고 매장에서도 유리 케이스에 진열되기 일쑤거든……. 게다가 『순정 헥토파스칼』이 시작된 다음부터는 주가가 더욱 급상승 중이잖아……."

"……그런가요~."

동경하는 작가가 쓴, 동경하는 책의 동경하는 삽화를 그린 일러스트레이터의 책을, 토모야는 종종 오타쿠 느낌을 마구 풍기면서 칭찬하고 있었다.

이즈미는 토모야가 자신 이외의 작가를 상대로 이렇게 신자 같은 태도를 취하는 게 동업자로서 좀 그랬지만…….

만약 토모야가 자신과 아는 사이가 아니라면, 그가 자신의 책을 쥐었을 때 아마 똑같은 반응을 보일 거라고 생각하니 기분이 나쁘지 않았다.

"그런데 이즈미. 사가노 씨는 어떤 사람이었어? 소문에 따르면 미남에 리얼충, 그리고 꽤 쓰레기 같다던데, 진짜로 그래?"

"……그런 사람이 이렇게 귀여운 그림을 그렸어? 일러스트레이터는 성격과 능력이 완전히 따로 노나 보네. 프로듀서는 겉모습과 능력이 일치하는데 말이야."

"뭐, 작풍 자체는 본인의 겉모습이나 세간의 평가와 따로 놀지도 모르지만……."

"아, 저기 말이죠. 제가 실제로 이야기를 나눈 건……."

이즈미가 그런 생각을 하는 사이, 토모야와 메구미는 사가노 후미오라는 인물에 대한 고찰이랄까, 뭐, 여러모로 좀 그렇고 그런 방향으로 나아가고 있었다…….

"하지만 결국 작풍이라는 건 내면에서 배어나는 거라고 생각해."

"아……."

하지만 그것은 최종적으로 이즈미가 당시에 품었던 의문과 같은 방향으로 귀결되려 하고 있었다.

"그래서 나는 인터넷 상에서 떠도는 사가노 후미오라는 사람의 평판에 대해 좀 회의적이야. ……실은 내면은 엄청 모에하다든가, 귀여운 것에 대한 동경 같은 걸 품고 있을 것 같거든."

"그건 토모야 군이 『순정 헥토파스칼』의 이미지가 더럽혀지는 게 싫어서 그렇게 생각하는 것뿐이 아닐까?"

"그렇게 쓸데없는 본질에 다가서려고 할 필요 없거든?!"

토모야와 메구미의 죽이 척척 맞는 말다툼을 쳐다보면서…….

"뭐, 아무튼 말이죠……."

이즈미는 최근 일주일 동안 끓어오른 강렬한 마음을…….

"사가노 선생님이 쓰레든 좋은 사람이든 간에, 제가 할 말은……."

두 사람이 완전히 침묵하게 만들 수 있는 한마디를, 입에 담았다.

"저는, 더는 질 생각이 없다는 거예요. ……사가노 후미오에게도, 카시와기 에리에게도, 그리고 코사카 아카네에게도 말이에요."

※ ※ ※

그리고 거의 같은 시각…….

라이브 하우스에서 일찌감치 빠져나온 에리리와 우타하는, 근처 커피숍에서 마주 앉아 최근 며칠 동안 자신들이 겪은 체험담을 공유했다.

"이게 다음 작품의 캐릭터 디자인이야……?"

"『친구』가 『우연히』…… 하시마 양 옆 부스였대. 그래서 얻은 거야."

"흐음……."

참고로 말하자면, 그녀들 또한 지난주 이벤트에서 배포된 동인지를 읽고 있었다.

“「절대 안 줄 거야」, 「딱 하루만 빌려주는 거야」 같은 소리를 몇 번이나 한 끝에 겨우겨우 빌려줬어……. 『그녀』는 하시마 양의 그림이 정말 마음에 들었나 본데.”

“흐음…….”

우타하를 향해 건성으로 대답하면서도, 에리리는 계속 페이지를 넘겼다.

그것도 단순히 페이지를 넘기기만 하는 게 아니라, 앞 페이지를 다시 훑어보기도 하고, 아예 처음부터 다시 보기도 하며, 작업 공정과 그림에 담긴 의도를 찾듯 신중하게, 그리고 상세하게 살피고 있었다.

“당신의 감상을 들려주겠어?”

“딱히 없어…….”

그리고 그 책에 깊이 몰두했으면서도, 입에서 나오는 말은 퉁명하기 그지없었다.

“그래? 나는 엄청난 완성도 같아 보이는데 말이야. ……레벨 면에서도, 기획과의 상성 면에서도.”

“그래?”

“당신, 방심했다간 바로 추월당할지도 몰라.”

“하시마 이즈미를 얕잡아 본 적은 단 한 번도 없어.”

하지만 그 퉁명함 속에 『적』에 대한 경의가 명백하게 존재했으며…….

“……여전히 판에 박힌 듯한 츤데레네.”

"시끄러워."

아니, 에리리가 얼마나 높은 경지까지 올라가든, 얼마나 인정받든, 아마 앞으로도 『그 애』를 계속 의식하고 말 것이다.

다양한 요인 때문에 말이다…….

"그래서, 이제부터 어쩔 거야?"

"응? 뭘?"

"너, 토모야와 안 만날 거야? 아마 아직 라이브 하우스 쪽에 있을걸?"

"오늘은 됐어……. 아까도 말했다시피 오늘은 라이브를 보러 온 거야."

"정말 괜찮겠어? 나는 토모야와 같은 반이라 매일 같이 보지만, 너는 만날 기회가 좀처럼 없잖아? 딱히 무리하지 않아도 돼."

"……정말이지, 기세가 등등할 때의 당신은 정말 짜증 나."

그런 에리리의 비아냥거림에 담겨 있는 배려를 느낀 우타하는 다리를 덜덜 떨면서 대답했다.

"그럼 어쩔 수 없지……. 오늘은 너한테 어울려줄게."

"방금 내가 「기세가 등등할 때의 당신은 정말 짜증 난다」고 말했을 텐데? 사와무라 양."

하지만 이 날 선 분위기도, 서로의 작품과 재능에 대해 어떤 마음을 품고 있는지 알게 된 지금에 와서는 그다지 의미가 없었다.

그렇기에 두 사람은 10년 넘게 알고 지낸 악우처럼, 어영부영 함께 시간을 보냈다.

"그러고 보니…… 사와무라 양이 준 여행 선물이나 먹을까?"

"이런 데서 외부에서 들여온 음식을 먹는 건 매너 위반이야. 집에 가서 먹어."

"하지만 온천 만두를 왜 두 상자나 준 거야? 혹시 트레이딩 카드 같은 거라도 들어 있었어?"

"그, 그게…… 아빠랑 엄마에게 하나씩 주려고 두 개 샀는데 『우리는 하나면 충분하니까 남은 하나는 다른 친구에게 주렴』이라고……."

"나도 하나면 충분해. 차라리 남은 하나는 코사카 씨에게……."

"싫어! 죽어도 싫다구! 그럴 바에야 내가 혼자서 다 먹어버릴 거야!"

"당신, 여전히 친구가 없구나."

"너한테만큼은 그런 소리 듣고 싶지 않거든?!"

"어머, 나는 요즘 들어 여자 친구가 급증하고 있거든? 못 믿겠으면 주소록을 보여줄까?"

"뭐, 뭐어…… 말도 안 되는 소리 하지 마, 카스미가오카 우타하!"

그렇다. 마치 10년 넘게 알고 지낸…… 역시 숙적처럼 말이다.

※ ※ ※

"아, 나왔어요! 여러분!"

"오~, 수고했어~."

"다들 고생 많았어."

그리고 라이브가 끝나고 40분 후…….

"끝났다아아아아아아아~!"

"우와, 진짜로 피곤해!"

"그래도 대성공~."

"……해냈어."

옷을 갈아입고 뒷마무리를 끝낸 후, 겨우 라이브 하우스에서 나온『icy tail』멤버들은 달성감과 충실감과 만족감으로 가득 찬 미소를 지으며 토모야 일행을 향해 뛰어왔다.

"해냈어, 해냈다구~! 완전 대성공이었어~, 토모오오오오오~."

"아."

"아."

"어, 어이! 여기는 길 한복판이라고! 아, 그만, 거기는 안 돼애애애~?!"

뭐, 뛰어오던 기세를 그대로 실어 토모야를 힘껏 끌어안아서 그를 넘어뜨린 미치루라는 특별한 예도 존재하지만 말이다…….

“자아~, 뒤풀이, 뒤풀이~♪ 불고기, 불고기~♪”

“밋치, 부탁이니까 그렇게 남성스러운 메뉴 좀 고르지 마…….”

“성욕을 채운 다음에는 식욕을 채우려는 거구나. 정말 알기 쉬운 애네.”

“……에치카는 좀 더 알기 힘든 표현을 써.”

그리고 몇 초 후…….

그 짧은 시간 동안 토모야에게 성희롱…… 포학하기 그지없는 짓을 해 댄 미치루는 누군가(어두워서 누구인지까지는 알 수 없었음)에 의해 그에게서 떨어지자, 아무 일도 없었다는 듯이 몸을 일으키더니 고기를 갈구하며 아키하바라 쪽을 향해 내달렸다.

그리고 무참하게도 길바닥에 방치당하고 만 토모야의 곁에서…….

“자. 일어나, 토모야 군.”

“……응.”

이곳에 있는 이들 중 유일한 남자…… 이오리가 그를 향해 손을 내밀었다.

또한 누군가의 차가운 시선이 그 두 사람의 등에 꽂히고 있었지만, 어두운 탓에 누구인지 알 수 없었다.

“이야, 아무튼 단독 라이브가 성공해서 다행이야……. 준비 기간도 짧았고, 효도 양도 곡 작업을 진행하지 못해서 좀 걱정됐거든”

뒤풀이할 가게를 찾아 방황하는 여성들을 놓치지 않을 정도의 거리를 유지한 채, 토모야와 이오리는 나란히 걸음을 옮겼다.

“그렇게 힘든 상황인데 왜 강행한 거야? 연기했어도 됐을 거 아냐.”

한 달 전, 처음으로 이번 라이브 계획을 이오리에게 들었을 때 토모야는 적극적으로 찬성하지 않았다.

그것은 자신과 멤버들이 생각했던 『icy tail』의 프로모션 계획과 비교하더라도 꽤 시기상조라는 생각이 들었기 때문이다.

그런데도 결국 『그쪽은 전부 이오리에게 맡긴다』는 자신의 당초 판단에 따라, 토모야는 그의 결단을 존중했던 것이다.

“뭐, 일단 어느 정도의 자금이 필요했거든. 티켓과 굿즈 판매로 이익이 생겼으니까 어찌어찌 될 것 같아.”

“뭐가 말이야?”

“슬슬 프로모션을 해야겠다고 생각했거든. ……우리가 만드는 게임의 프로모션 말이야.”

“뭐…….”

그리고 그 결단에 따르기로 했기에, 이오리의 『진정한 목적』이 무엇인지도 지금까지 확인하지 않았던 것이다…….

"일단 여름 코믹마켓에서 체험판……은 어려울지도 모르지만, PV나 설정집을 내면서 바로 정보를 공개하자고. 그때는 적자가 나도 상관없어. 아무튼 일단 발표부터 하는 거야."

"자, 잠깐만. 너, 그렇게 거창한 걸 기획하고 있었어?"

작년, 『blessing software』는 첫 게임을 제작하면서 자금 면에서 여러모로 고생했다.

하지만 첫 번째 작품인 『cherry blessing』이 히트한 덕분에 토모야는 자금 면에서는 전혀 걱정하지 않았다.

하지만 그것은 다음 작품의 DVD 생산 및 패키지 비용만 고려했을 때의 이야기였으며…….

"거창? 우리와 마찬가지로 겨울에 발매될 예정인 『필즈 크로니클 XIII』은 진작에 대대적으로 발표했잖아."

"하지만 그쪽은 상업이고, 우리는 동인……."

"그게 어쨌다는 거야? 애초에 우리의 목적은 카스미 우타코와 카시와기 에리, 그리고 코사카 아카네에게 싸움을 거는 거잖아?"

"매상으로 겨뤄 봤자 상대도 안 될 거야. 나는 그저, 그들에게 뒤지지 않을 만큼 좋은 작품을 만들 수만 있으면……."

"토모야 군, 나를 끌어들여 놓고 그런 이중 잣대를 들이대지 마."

"이오리……."

하지만 『cherry blessing』의 새로운 프로듀서는 토모야는 상상조차 하지 못한 질퍽질퍽한 싸움을 벌이려는 것 같았다.

“확실히 매상으로 승부하는 건 어리석은 짓이지…….
하지만 이 작품이 묻혀버리면 우리의 패배야.
어떤 식으로든 『blessing software』를 사람들의 기억에 남겨야만 해.”

“그러기 위해서는 수많은 사람들이 우리가 만든 게임을 플레이해야만 하고.
……안 그러면 누구와의 싸움에서도 『이겼다』고 당당하게 말할 수 없잖아?”

“……그렇, 구나.”
“응. 그래, 토모야 군.”
토모야는 떠올렸다.
이것은 자신만의 싸움이 아니다.
다양한 사람들이, 자신의 신념을 걸고, 스스로 시작한 싸움인 것이다.

누군가에게 영향을 받을지도 모른다.
하지만, 누군가의 꼭두각시는 되지 않는다.

누군가의 충고와 권유를 듣고, 마지막에는 자신의 의지로 결정한다.

같은 방향이 아니라, 각자가 자신이 목표로 하는 장소를 향해, 앞으로도 나아갈 것이다.

누군가는, 적에게 삼켜지지 않는, 강한 자기 자신으로서 존재하기 위해…….

누군가는, 적의 품속에 뛰어들어, 그 강대한 적을 쓰러뜨리기 위해…….

누군가는, 적의 품속에 뛰어들어, 그곳에 있는 소중한 동료를 지키기 위해…….

누군가는, 즐겁게 살아가는 것과, 정상을 향해 나아가는 것을 양립시키기 위해…….

누군가는, 다시 한 번, 예전의 낙원을 되찾기 위해…….

그리고, 누군가는…….

"최고의 게임을 만들 테니까…… 마구 팔아 치워줘, 이오리."

"알았어. 나만 믿어, 토모……."

"역 빌딩에 있는 불고기집을 예약했으니까 거기로 이동하자."

"메구미 너, 언제부터 거기 있었어?!"

"어때? 충분해?"

"응. 이 정도면 화해 시나리오를 쓸 수 있을 것 같아. ……고마워, 에리리."

"저, 저기, 메구미."

"응?"

"이걸로, 이 두 사람…… 에리리와 메구리는 전부 원래대로 되돌아간 거야?"

"…………."

"메구미?"

"시간이 흐르더라도 변치 않는 건, 이 세상에 존재하지 않아."

"하, 하지만, 변치 않는 마음이라든가, 영원한 사랑 같은 건……."

"마음이라는 건 쉴 새 없이 변하는 거야, 에리리."

"그건……."

"쭉 아무렇지도 않게 생각했던 상대가, 어느 날부터 완전히 다르게 보이는 경우도 있어."

"뭐……."

"물론, 그랬던 상대가, 또 어느 날부터 아무렇지 않게 생각될 때도 있지."

"대체 어느 쪽이야?!"

"글쎄, 어느 쪽일까? 아, 그래도 딱 하나 분명한 건……."

"분명한 건?"

"적어도, 한 번은 변한 적이 있어."

"…………."

"에리리는 어때?"

"나는 변한 적 없어."

"하지만 크기는 변하지? 커지기도 하고, 작아지기도 하잖아."

"뭐, 그런 적은 있어. 하지만……."

"하지만?"

"작아진 적은, 없어."

"……아하~."

■작가 후기

안녕하십니까. 마루토입니다.

9권에서 예고했던 대로, 이번에는 『시원찮은 그녀를 위한 육성방법』의 걸즈 사이드 제2탄(이하 GS 2)을 독자 여러분에게 전해드립니다.

보통 이렇게 정식 넘버링이 아닌 권이 나오는 건 드래곤매거진 등에 실린 단편을 모으고, 「스케줄 적으로 힘든 상황이니 이번에는 50페이지 분량의 신작 단편으로 때우죠」하고, 담당 편집자님이 눈은 전혀 웃고 있지 않는 미소를 지으며 결단을 내릴 때이기 일쑤입니다(개인적인 생각입니다. 다른 작가 여러분과는 전혀 상관없습니다). 하지만 이번 GS 2는 『대부분 신작 소설. 시간축과 스토리의 전개로 보자면 실질적인 10권』이라는, 저도 뭐가 뭔지 모르는 책이 되고 말았습니다.

그도 그럴 것이, 이번 권을 읽지 않으면 다음에 발매될 10권을 읽어도 스토리의 흐름을 파악하지 못할 거라는 문제 발언을 할 정도로 본편과 깊게 연관되어 있습니다. 정말 죄송합니다만, 독자 여러분께서는 「뭐야, 번외편이야?」 하고 말씀하시지 말고, 꼭 읽어주시면 감사하겠습니다. 뭐, 이 트릭을 눈치채지 못한 분은 이 후기도 읽지 않을 가능성이 크긴 하지만요.

아무튼, 『출판사도, 독자 여러분도 행복해질 수 없을 것 같은데?』 같은 의문을 품게 되는 책이 된 것은 이번 이야기가 『히로인들이 토모야가 없는 곳에서 자신의 의지로 고민하고, 결단하며, 앞으로 나아간다』는, 이거 완전 주인공 필요 없는 거 아냐……가 아니라, 주인공의 1인칭으로는 성립되지 않는 이야기이기 때문입니다. 「이야기의 주체가 다르니 넘버링도 할 수 없겠지」라는 작자의 쓸데없는 집착 탓에 여러분에게 엄청난 폐를 끼치고 말았습니다. 죄송합니다.

하지만 소설이란 건 결국 작가의 마스터베이(글이 여기서 끊겨 있음).

자아, 변명도 끝났으니, 다른 건에 대한 변명을 해볼까 합니다. 바로 애니메이션에 관한 변명입니다.

이미 알고 계시겠지만, 이번에도 제가 시리즈 구성 및 각본에 미력하게나마 참여하게 되었습니다. 그리고 「그럼 언제 세상에 나오는 거야?」라든가, 「TV 애니메이션? OVA? 극장판(아, 그건 무리)? 아니면 중단된 거야??」 라든가, 「왜 제2기라고 하지 않고 속편이라고 하는 건데. 대체 무슨 꿍꿍이인 거야」 같은 생각을 하며 걱정해주시고 계실 독자 여러분께는 정말 죄송합니다.

아마 이 책이 발간되었을 즈음에는 시기를 비롯해 여러 정보가 발표되었을 것 같습니다만, 저는 세세한 정보 발표 스케줄을 확인하지 않았기 때문에 섣부른 발언은 자제하겠습니다.

하지만 애니메이션 속편이 이 세상에 나올 때까지, 애니플렉스 측에서 이 작품의 명맥을 유지하기 위해 필사적으로 대량의 굿즈를 투하(또 글이 여기서 끊겨 있음).

자아, 마지막으로 감사 인사를 드리며 얼버무릴까 합니다.

미사키 씨, 요청하셨던 대로 사가라 마…… 옆 부스의 도우미 양을 등장시켰으니, 이제 자유롭게 멋진 표지를 그려 주십시오. 그리고 카토 등신대 피규어를 악랄하게 감수하시느라 수고하셨습니다. 이야, 진짜로 로우 앵글…… 어느 앵글에서 봐도 완벽한 조형이라 한숨밖에 안 나옵니다.

하기와라 씨, 따님의 생일 축하드립니다. 소설 투고 사이트를 오픈해서 바쁜 이 시기에 사생활 쪽도 충실한 그 긍정적인 모습은 정말 존경스럽습니다만, 부디 워크와 라이프가 치킨 레이스를 벌이지 않도록 밸런스를 잘 맞춰 주십시오.

그럼 실질적인 11권……인 10권을 통해 다시 찾아뵙겠습니다.

2016년 초봄 마루토 후미아키(축·실사화(T○A 같은 데서

검색하지 마십시오))

【최초 수록】

「제8.3화 에로인으로부터 사랑을 담아」는 드래곤매거진 2016년 3월호에 게재된 내용에 가필 및 수정을 한 것입니다.

■역자 후기

안녕하십니까. 근로청년 번역가 이승원입니다.

『시원찮은 그녀를 위한 육성방법』 10권……이 아니라 Girls Side 2권을 구매해주셔서 진심으로 감사드립니다.

작가님께서도 후기에 말씀하셨다시피, 이번 권은 외전의 탈을 쓴 본편(^^)입니다.

8, 9권의 이면에서 벌어진 히로인들의 활약상이 이 책 한 권을 가득 채우고 있습니다.

그것도 단순한 사이드 스토리로 생각하고 넘어가기에는 중요한 장면들이 너무 많죠.

GS 1권도 외전이라고 하기에는 중요한 내용을 담고 있었습니다만, 이번 2권은 비교도 되지 않는 레벨입니다.

……이 책을 보지 않는다면 다음 10권의 내용이 잘 이해가 되지 않을 거라고 작가님께서 공언하실 정도로 말이죠.

혹시 주위에 이 책이 외전이라 생각해서 건너뛴(^^) 지인이 있다면, 이 엄청난 사실을 꼭 알려주시길!

그럼 이번 권에 대한 이야기를 조금 해볼까 합니다. 스포일러가 조금 들어있을 수도 있으니 양해 부탁드립니다!

이번 권은 8권 마지막에 발표된 에리리의 그림에서 비롯된 문제가 해결되는 과정을 담고 있습니다.

9권만 보자면 우타하의 조언을 받은 토모야가 에리리를 서브 히로인으로 삼은 시나리오를 써서 문제를 해결하는 느낌입니다만…… 사실 그 과정에서 여러 히로인들이 보이지 않는 곳에서 토모야를 돕고 있습니다.

그리고 그 중에서 가장 헌신적인 히로인은…… 효도 미치루!

솔직히 존재감 없기로 정평이 나있는(^^) 이즈미보다 더 존재감이 없어 보이던 미치루가 이렇게 토모야를 위해 최선을 다하고 있는 줄은 꿈에도 몰랐습니다.

별다른 접점이 없던 우타하를 나름의 방식으로 설득해 토모야를 돕게 했습니다. 또한 마지막 라이브에서는 이제는 갈라선 동료들, 그리고 아직도 함께하는 동료들을 전부 아우르는 명연설까지 하죠.

……솔직히 말해 제가 아는 미치루가 맞는지 의심이 들었습니다, AHAHA

그저 남들을 멋대로 휘두르는 게 아니라, 상대의 마음을 헤아리고, 이해하며, 다른 길을 걷고 있는 옛 동료를 축복하며, 각자의 위치에서 앞으로 나아가고자 하는 그녀는……

이번 작품의 진 주인공(히로인이 아니라요^^)이라고 해도 과언이 아니었다고 생각합니다.

미치루가 보여줄 앞으로의 활약을 독자 여러분과 함께 기대하려 합니다! 미치루, 파이팅! 앞으로는 너도 응원할게!

그럼 이만 줄이겠습니다.

이 작품을 저에게 맡겨주신 L노벨 편집부 여러분. 항상 재미있는 작품을 맡겨주셔서 감사합니다. 미치루의 새로운 일면을 느낄 수 있어 정말 즐거웠습니다.^^

요즘 제가 건강 관리하는 바람에 덩달아 건강관리 모드가 된 악우들이여. 우리도 이제 젊지 않거든? 이번에 건강 한 번 제대로 챙겨보자고.^^

마지막으로 언제나 제게 버팀목이 되어주시는 어머니와 『시원찮은 그녀를 위한 육성방법』을 읽어주신 모든 분들에게 진심으로 감사드립니다.

서클 단체 여행에 난입한 최종 보스(?)의 포스를 물씬 느낄 수 있는 다음 권 역자 후기 코너에서 다시 뵙겠습니다!

2016년 8월 말

역자 이승원 올림

시원찮은 그녀를 위한 육성방법 GS 2

1판 1쇄 발행 2016년 10월 10일
1판 2쇄 발행 2018년 3월 21일

지은이_ Fumiaki Maruto
일러스트_ Kurehito Misaki
옮긴이_ 이승원

발행인_ 신현호
편집국장_ 김은주
편집진행_ 최은진 · 김기준 · 김승신 · 원현선 · 김솔함 · 권세라
편집디자인_ 양우연
국제업무_ 정아라 · 고금비
관리 · 영업_ 김민원 · 이주형 · 조인희

펴낸곳_ (주)디앤씨미디어
등록_ 2002년 4월 25일 제20-260호
주소_ 서울시 구로구 디지털로 26길 111 JnK디지털타워 503호
전화_ 02-333-2513(대표)
팩시밀리_ 02-333-2514
이메일_ lnovel.admin@gmail.com
L노벨 공식 카페_ http://cafe.naver.com/lnovel11

원제 SAENAI HEROIN NO SODATEKATA GIRLS SIDE Volume 2

ISBN 979-11-278-2419-8 04830
ISBN 978-89-267-9771-6 (세트)

값 6,800원